松元ヒロ *Hiro Matsumoto*
清水眞砂子 *Masako Shimizu*
奥田知志 *Tomoshi Okuda*
落合恵子 *Keiko Ochiai*
辛 淑玉 *Shin Sugok*
塚本晋也 *Shinya Tsukamoto*
三上智恵 *Chie Mikami*
安田菜津紀 *Natsuki Yasuda*
小熊英二 *Eiji Oguma*
高橋源一郎 *Genichiro Takahashi*

向かい風が吹いていても

カウンターを生きる10人の声

聞き手
自由の森学園高校・教頭
菅間正道
Masamichi Sugama

子どもの未来社

プロローグ

松元ヒロ

この本のインタビュアーである菅間さんに「ヒロさん、巻頭にひと言」と頼まれた時、「なんで私が？」と首を傾げました。だって、ここに登場する10人が、私を除いて有名な人ばかり。映画監督、大学教授、作家、ジャーナリスト、牧師さん等々、みんな真面目で優秀な……と思ってゲラを読み始めたら、とんでもない！　この人たち、芸人の私なんかは足元にも及ばないくらい苦労したり、コンプレックスを持っていたり悩んだり。「だから、こんなに人に優しくできるのか。不平等に声をあげ、抵抗する信念を持てるのだ」と、ページをめくる手が止まらなくなりました。あの人もこの人も「同じ人間なんだ。同志がここにいる。だったら私も頑張るか」と勇気が湧いてくるのです。

私もそうでしたが、インタビューした人に自分の弱さをも思わず喋らせてしまう菅間さんが、またウマイのです。いや、上手いとかではなく、熱心というか熱量が半端じゃないのです。仕事としてではなく、好きで、聞きたくてしようがないから聞いている。それが伝わるから私も心を開いて喋りはじめ、過去から現在、そして、将来はどうすべきかと一緒に考え、夢中になって語り合っていました。さすが教育者、菅間さん！

菅間さんは埼玉県飯能市にある「自由の森学園」の社会科の教師です。実は私の息子が中学・

高校とこの学園で学び、今ではこの「自森（ジモリ）」の数学の教員としてお世話になっています。自森では、「菅間先生」とは言わず、「菅間さん」と呼びます。教える先生と教わる生徒という上下関係ではなく、一緒に学ぶのです。自森は制服もなければ校歌もありません。君が代も歌いませんから、入学式や卒業式が堅苦しくありません。合唱がみんな大好きです。校歌の代わりに「ケ・サラ」を全員でハモります。「ケ・サラ　ケ・サラ　ケ・サラ　僕たちの人生は　平和と自由をもとめて　生きていけばいいのさ　歌え歌え歌え　人間のやさしさを歌え歌え……」　肩を組む子もいれば、歌い上げる子も、みんな大きな声で楽しそうに歌います。私は思わずハンカチを目に当てていました（アッ、いけない。自森については私のインタビューで菅間さんと語っていました。このあと、本編でお会いしましょうね）。

　どのインタビューもそうですが、なかなか他所（よそ）では聞けない話がいっぱいです。安田菜津紀さんのインタビューの最後に菅間さんが言っています。「ぼくは教師の役割の一つは『ブリッジ』だと思うんです。教師と生徒、生徒と生徒、生徒と世界、それらをつなぎ、架橋（かきょう）していく」ことだと。そういえば、芸人も世の中とお客様の橋渡し役です。永六輔さんのラジオに呼ばれた時のことです。亡くなる四カ月前でした。長峰由紀アナウンサーが「今日は永さん、お休みなんです。メッセージを預かってきました……ヒロくん、九条をよろしく」「永さん、わかりました！」。九条はもちろん、戦争放棄を謳った憲法九条です。永さんがこの本を読んだら、九人の方々と菅間さんにも「〇〇さん、九条をよろしく」……声が聞こえてきそうです。

目次

＊本書は『人間と教育』（民主教育研究所編集）に掲載されたインタビューをもとに加筆・修正したものです。

松元ヒロさんに聞く

怒りを笑いへ 笑いをメッセージへ

——芸人人生で出会った人たち、言葉たち

まつもと・ひろ

1952年、鹿児島県生まれ。スタンダップ・コメディアン。鹿児島実業高校、法政大学卒業。パントマイミストなどを経て「笑パーティー」を結成。「お笑いスター誕生」に出場し、第4回オープントーナメントサバイバルシリーズで優勝。解散後はコントグループ「ザ・ニュースペーパー」の結成に参加。1998年11月に独立し、以後、ソロとして活躍。共著に『安倍政権を笑い倒す』（角川新書）、『憲法くん』（講談社）。

インタビューでもふれているように、私がヒロさんのライブを初めて観たのは、1990年のこと。あれから30年、今もヒロさんの——権力の横暴や腐敗を笑い飛ばし、人間のおかしさや優しさを謳う——舞台を欠かさず観続けている。大いに笑わせ、時にほろっとさせ、そして深く考えさせる…唯一無二の芸人である。インタビュー当夜のことは、まるで昨日のことのように思い出せる。2時間をゆうに超え、私一人のためのライブのように、繰り出す問いに対して、全身・全力で「笑いに包んで」応えてくれた。さらには、帰りの電車の中でもインタビューの延長戦は続いた。あの贅沢で大爆笑の一夜（ワンナイトライブ）は忘れられない。

（2013年1月19日　インタビュー）

マルクスと井上ひさし

菅間　ぼくもヒロさんのファン歴は長いのですが、去年（２０１２年）は秋の新宿・紀伊國屋ホールでの「ひとり立ち」をはじめ、これまでになく、たくさんステージを観させていただきました。暮れに中野で行われたライブには、連れ合いとぼくの両方の両親の６人で伺って、みんなで大笑いして、いい親孝行をさせてもらいました。

ヒロ　うれしいです！

菅間　ホームページ「ヒロポンの会」に載っているように、全国各地を飛び回るのはもちろん、『ＡＥＲＡ』の「反原発文化人」にもヒロさんの名前が挙がるわ、映画「ワーカーズ」に出演されるわ、これから『週刊金曜日』にエッセイを連載されるわ、メチャクチャお忙しい。よくステージで「仕事くれ！」って言われるでしょう。どうして、どうして（笑）。

ヒロ　忙しい時は忙しいんですよ。今日もステージがあって、４日間連続です。そのあとは今、ライブを控えているので、あまり入れないようにはしているんですけど。でも女房が勝手に入れちゃうんです。ホント半分半分っていう感じです。仕事は何もないのがまず基本。まっさらな状態から、一つずつ入ってきて「ああ、これでなんとかやっていけるな」と。そのくり返しです。

菅間　改めて簡単にプロフィールを確認させていただきますね。

ステージでよく語られているように、鹿児島実業高校出身。その後上京され、大学卒業後、いろいろな仕事を経て芸人の道へと進まれる。特に高校時代は、陸上の長距離で、とにかくヒロさんは早かった。当時、宗兄弟と何度も戦ったライバル関係で、勝ったり負けたりだった。で、〝走って〟法政大学に入学。とにかく、ずっと何でもナンバーワンをめざしてきて、大学に入ったら「これからは革命の時代だ」ということで、革命の指導者で一番をめざすと。それでマルクスを読まれた。これが大筋〝事実〟だと理解していいんですか。

ヒロ　ええ。まあ、話半分って感じで（笑）。面白くするために、ステージではかなり脚色しているけど、嘘は言ってない。あった出来事は全部本当です。

とにかく、マルクスを読んで、本当に世界観が変わりましたねぇ。大月書店の『資本論』全5巻、あれ買ったんですよ。そうそう、井上ひさしさんの前でもその話をして、ウケましたよ。じつは、井上さんが亡くなられた後に知ったんですけど、俺、井上さんの岩波ブックレットに出てくるんですよ。「日本国憲法の前文は、悪文だとかいろいろ言われるけど、あの前文をただ諳んじて言うだけで、私は大感動した。それは松元ヒロさんっていう人の芸だ」って書いてあって！　俺、全然知らなかったから、えー！　って感じ。

菅間　ヒロさん演じる〝憲法くん〟ですね。じゃあ、井上さんはヒロさんのステージをご覧になっていたんですね。

ヒロ　観ていたんですね。生活者大学校というところで、ちょうどザ・ニュースペーパー（以下、TNP）をやめた時だったんですけど、その頃呼んでくださって。井上さんとは、以前にもTNPで何回かお会いしているんです。でも、その時向こうは知らんぷりで、やる前は、関係ないって感じだったんですよ（笑）。でもその後、ステージで〝憲法くん〟をやったら、楽屋にわざわざ来られて「素晴らしいですね！　感動しました！　今日ぼくは確信した。あんな素晴らしい文章はないということを君が言ってくれて、涙が出そうになって……あらゆるところでやってくれ」と言われました。そうか、井上さんが言うんだからって、それから自信をもって、〝憲法くん〟を演るようになりました。

その後、井上さんの遅筆堂文庫に招待されて、一緒に飲みにも行きました。そしたら周りに何人も男の人がいるんですよ。誰だろうと思ったら、「私、岩波の井上担当で……」「私、角川の井上担当で……」って、いろんな出版社の井上担当が取り巻いている。その時もね、どんどん飲んで調子に乗って、俺、バカなこと言っちゃった。

蔵書がドバッとあるでしょ、それを見て「井上さん、ほんとにあの本全部読んだんですか」って。そしたらみんなシーンとなっちゃって。でも井上さんが「いい質問ですね」と。すかさず俺、「どうやってあの本集めるんですか？」って聞いたんです。そしたら「本が呼ぶんです」って言うんですよね。それはもう感動しました。「本屋に入ると本がぼくを呼びます。例えばですが、この本はもう何ページで終わり、この本は2回読みました。この本は何ページで、これは3回読みました」って言うんですよ。「トータルすると、ほとんど全部読んだくらいですね」って俺が言ったら、「その通りです。それは自信があります」って。するとみんな、ワーッと喜んで。その時にマルクスと『資本論』の話になった。「1巻の途中で数式が出てくるんですよね。鹿児島実業は二乗が出てくるともうダメなんですよ」って言ったら、ゲラゲラ笑っちゃって。そしたら井上さんも「ぼくもだいたい、そのへん、テキトウです。全部は読まなくていいです」って言っていました。

菅間 すごい、ヒロさんと井上さんの『資本論』談義！

ヒロ 俺はとにかくスポーツをやってきて、中学校の時には学校代表、高校のときには県で一番になって全国高校駅伝で全国の高校とたたかった。いつの日かオリンピックに出るのが夢でした。ところが、法政大学に入ってマルクスを読んで、『資本論』1巻の100ページまで読んだら、「違う」と。世の中には労働者階級と資本家階級がいるんだと。万国の労働者よ、団結しようと書いてある。えっ、人間にそんな分け方があったんだ！　と初めて知りました。俺、マルクスと出会うまで、地域以外の人の分け方があったなんて知らなかったからね。だいたい、鹿児島っていうのはそうなんですね。「お前は鹿児島県人だ、薩摩隼人だ」とか言って、それ以外と区別する。

さらにまた、労働者階級は搾取されていると。これは哲学だと思ったんですよ。俺は、それでもうわかった。俺は騙されないぞ！　って。で、その先はもう数式が出てくるから『資本論』はもういいと（笑）。そのことを井上さんに言ったら「うん、だいたいそういうことです」

っていう話になって（笑）。

で、法政大学はマルクス経済学の先生が多いと聞いて、よーし！　と思ったら、なんとあちこちで内ゲバやっているんですね。なんで同じ思想の人たちがたたかわなければいけないのか……俺、わからなくてねぇ。そこから一気にドン引きですよ。本当はデモとかみんなで「わっしょい、わっしょい」とかやって、世の中変わるんだと思っていたから、なんかこれは違うっていうか、怖くなっちゃって。俺、血に弱いから。

本は買って読んだんですよ。部落差別の問題やら、いろんな社会問題も、勉強したらだんだんわかってきて、いわゆる勉学の楽しさを知ったんです。でも、俺も先輩たちもみんな挫折していきました。もう、とにかく選挙にも行きたくないくらい。なんでみんな自民党に投票するの？　なんで、佐藤某っていう総理大臣が、ノーベル平和賞もらうの？　ふざけるな！　って。この国はおかしい、世界は変だと思って、もう絶望するしかない。

それで俺は、お笑いの世界にいったんですよ。で、芸人としてやっていくうちに、「昭和天皇が吐血だ下血だ」っていう話になって、「これはおかしい」って。昔読んだ本のあれこれが、一気に頭によみがえってきて、「いったい何なんだこの世の中！　俺たちの芸人の仕事さえ奪うのか！」ってね。それでTNPを立ち上げたんです。

●——出会って、つながった錚々（そうそう）たるメンバー

菅間　話は一気にTNP結成まで来ましたね。

ヒロ　そうだ、その挫折後の話ですが、俺、太宰治に凝っちゃってね。太宰の全集は結構読んだんです。太宰好きって、だいたいみんな「俺の太宰」って思うんだよね。桜桃忌の時にはお墓にまで行きましたから。行くとまあ、女子が多くて恥ずかしくって、そこまで行けなかったりして。あの人のなかにも、革命が出てくるんだけど、挫折したりする。

菅間　井上さんの『人間合格』っていう劇はご覧になりました？

ヒロ　それは見てないなあ。

菅間　『人間失格』じゃなくて、『人間合格』。主人公が太宰なんですけど、その友人に当時非合法の共産党員がいたりと、3人の青年が主人公の青春群像劇です。ぼくはこの作品が好きでした。笑いあり、涙ありで、台詞もテンポもすごくいい。女性を土台と上部構造で説明したりするんです。

ヒロ　俺、井上さんと話をしたくせに、井上さんの本、ほとんど読んでない（笑）。

あ、そう言えば灰谷健次郎さんも友達になったんです、ピースボートに乗ったときに。かれこれ15年くらい前、TNPにいた頃です。一人でいろんな国を見てみたかったから船に乗ったんです。その時、鎌田慧さんも同室だった。それまでまったく彼らを知らなかったから！　ホ

ント、ただの気のいいおじさんだと思って（笑）。あと、石川文洋さんもだ。「暑いですねー」ってビール飲んでて。なんか怖そうなんだけど、話が合いそうな気もして、友達になったほうがいいかなと思って。

灰谷さんに「何の商売やっているんですか？」って聞いたら「物書きの仕事をしている」と。俺、「頑張ってください」とか言って。「あんた、オモロイな」って言うから、「芸人なんですよ、私」って。じゃあ飲みにいこうって言って、飲みにつれていってもらった。そこに鎌田さんとか、石川さんとかもいたんだけど、全然俺知らないから、一緒になって盛り上がって。

菅間　すっかり意気投合して、後から気づいたらまさに錚々たるメンバーとの飲み会！

ヒロ　今思ったら、贅沢だよね。それが田舎者である俺の特権ですね。ものを知らないことが怖くない。

灰谷さんについては、後日談があるんです。灰谷さんから手紙がきて、今度ぼくの出版記念パーティーがありますと。司会は筑紫哲也さんと辻本清美さん。それでヒロさんが書いてきた手紙がめちゃくちゃ面白かったから、パーティーの場で話してくれないかって。そしたらうちの女房が泣いて止めて、「恥をさらすなんてやめて」って。でも、俺は面白いからって言って、ステージでその話をした。そしたらメチャクチャウケてね。それから筑紫さんも知ってくれるようになって。灰谷さんが亡くなる直前も俺、見舞いに行って、お家にまで連れてっててもらったんです。

菅間　灰谷さんたちとのエピソードも、まさにヒロさんご自身を物語っていると思います。権威とか有名人とか、一切関係ない。そういうところから入るんじゃなくて、「こんちは！」って感じで、あれよあれよって友達になって飲んで、きっとビッグネームたちは、ヒロさんのそういうアプローチがすごく新鮮というか、うれしかったんだと思います。

ヒロ　もしかしたら、これがいわゆる才能ってやつかなと思いますね（笑）。

●─ザ・ニュースペーパーの結成から〝ひとり立ち〟まで

菅間　ぼくは、TNP結成直後の渋谷ジァン・ジァンのステージから観ていました。はじめて観たのは1990年のことです。じつは、ぼくが最初に非常勤講師で勤めた、東野高校の社会科の同僚に、TNPのメンバーの濱田マ助さんの同級生がいたんです。で、チケットを取ってもらって。忘れもしません。TNPのテーマソングで幕が開け、松崎菊也さん、石倉チョッキさん、渡部又兵衛さん、蘭丸陽一さん……そしてもちろんヒロさんも。みなさん、ステージをところ狭しと動き回る。あの頃から、ヒロさんの「今日の天気予報」は大爆笑でした。面白くて痛快で、ゴキゲンで、とにかく、時事ネタを強烈に風刺する、今まで観たこともないコント集団でした。

ヒロ　そうねぇ、あの時は新鮮でした。

菅間　昭和天皇重体報道のなかでお笑いなどけしからん、という風潮に対して、異議ありということで、ＴＮＰは結成されたということですが、そうは言っても具体的には、核となる人がメンバーを集めたのですか。

ヒロ　なんとなく集まったという感じだと思います。まとめ役は、私が「笑パーティー」ってコミックバンドをやっていたんですけど、その社長だった杉浦正士という人です。で、キャラバンの菊さんと渡部さんともう一人が集まって。その頃彼らと一緒にテレビにも出ていて、楽屋でなんとなく話が合ってね。仕事がキャンセルになって、ギャラが出ない、キャンセル料が出ないって。頭にきてね。俺はもう、昔のマルクスが急に頭によみがえって、「おかしいよ！この世の中って。いったい、いま何時代だ！　よし、どうせ仕事ないんだからやろうじゃないか」って言って、ライブをやり始めたんですよ。

台本を書くのは菊さんが得意で、演劇は元民藝の渡部さんがうまい。よし、一緒にやったら芸を盗めるぞ、と。スポーツ欄もあれば芸能欄もあってテレビ欄もある、何でもやれるコント集団としてスタートしました。新宿のスペース１０７っていう、１５０人しか入れないところで。

そしたら、噂が広まって、2、3回目に筑紫哲也さんとか永六輔さんが来てくれた。それで筑紫さんがたしか「ニュース23」の第二部に呼んでくれて。そしたらバーッと広がって。永さんも目をつけてくれて、ジァン・ジァンでやるようになりました。あそこでやるのはステイタスでね、どんなにお金を積んでも貸さないんです。紀伊國屋ホールもそうなんですけどね。あそこは、そこが認めたものじゃないと演ることはできないんですよ。

配役で言うと、俺はこんな貧層な顔をしているので、総理大臣の役はまわってこないんですよ。総理役は、渡部さんとか、すわしんじとかで。俺はだいたい秘書の役とか天皇の侍従の役とかをやらされる。「大丈夫ですよ、ここに防弾ガラスがありますよ」とか言ってマイムを入れる。

ところが、村山富市さんが総理大臣になった時に、「お前似てるぞ」って話になって。「初めて総理大臣の役でいよいよ主役だ！」とか言われてね。しかも同じ九州出身だし。そこから、だんだん俺、自信つけてきたんですよ。

村山富市さんと、総理を辞めた後でしたけど、「2人トンちゃん」と名乗って、全国の社民党の大会をまわったんですね。最初に本物が出てきて、次に俺が出る。最初は「何だ？」っていう感じで聴衆が笑い始めて、「さっきあんなこと言っていましたよね」って、俺がいろんなこと言い始める。そしたら本物が言ったことが全部ひっくり返っちゃう。それで順番を変えてくれって、次の場所では順番変わって、先に俺が出て、いわゆるガス抜きをやるんです。それに利用されたっていうか、俺からしたら利用してもらった。「自衛隊、消費税、ＯＫしましたですね。苦渋の選択とかってみなさん、一生に1回か2回ですよ。でも総理をやっていますと、毎日が苦渋の選択ですよ。もう慣れっこになりますね。みなさん右寄りになったって私のこと言われますがね、みなさんから右に見えるかもしれないですけどね、私は左にきているんですよ」って言って。そしたら「ワー」って笑って大いにウケる。

そのうち本物の国政選挙で、最終盤、渋谷のハチ公前で、選挙用のマイクの束をもって、「私が村山です！」って言って演説することになった。で、だんだんアドリブがでてきて「みなさん、世の中、本当にこれでいいんですか！　この選挙で変えんといかんのですよ！」って、だんだん法政のアジ演説みたいになってきて（笑）、「今こそォ、断固労働者は団結すべき時だァ！」と。で、聴衆がノッてきちゃってね、「そうだァ！」とか。「諸君！　最後の最後までたたかおうじゃありませんかァー！」一同「オーッ！」て。

菅間　それは、もう全然、村山富市じゃなくなっているじゃないですか（笑）。

ヒロ　そうそう。俺、さらに自信もってきて、その頃、菊さんが書く台本がちょっと甘いなって思えてきたんです。で、少しずつ考え方の違いがあるんだなあって思いが膨らんできて。自分でつくって自分で喋ったほうが、ただ台本をやるよりはお客さんはついてくると。本来、役者っていうのはそうなんですよね。で、徐々に俺は「スタンダップコメディ」が好きになってきたんです。

ＴＮＰにいた頃、渡辺えりさんの劇団でパントマイムを教えていたんです。そこに小林薫さんの親戚がいて、彼が、先生は絶対これ好きですよって、エディ・マーフィのスタンドアップコメディの映像を貸してくれたんです。俺、それ見て、感動したんですよ。よくぞ教えてくれた、と。エディ・マーフィはもともとスタンダップコメディアンだったんですよ。映画スターになる直前の頃、サタデーナイトライブ、ステージはカーネギーホール。皮ジャン着て、曲にのって、彼がたったひとりでマイクをもって出てくる。で、「今の大統領は落ち着きがないだろう、なぜか知っているか？　狙撃を避けてるんだ」とかいろんなことをバンバン言うわけですよ。「日本人って知っているかい？　ソニーのなんか持って、ケツの振り方が小さい」「マイケル知ってるだろ、マイケル。知っているかい、俺は最初に会った時このくらいだった。こないだ会ったらやっぱりこのくらいだった。あいつ会うたんびに白くなっている」とかいろんなこと言って皮肉る。人種差別問題も全部やる。最後に「黒人だというだけで、20年前ここに立てなかった有名なミュージシャンがいる。お前たちの大統領をけなして、俺はお前たちを笑わせた。今日は最高の夜をありがとう」って言うと、スタンディングオベーションですよ。

俺はね、世の中にこんなコメディがあるんだと思って、もう涙が出ましてね。コレだ！と。あと、マルセ太郎さんも大好きで、「スクリーンのない映画館」に感動して。俺、才能ないと思っていたけど、だんだんそれがやりたくなってきて。それでちょうどその時にいろいろあったので、「よし、辞めて〝ひとり立ち〟するぞ！」と決めました。

●―ひとりの親として、ひとりのジイジとして

菅間　ちょうどその頃、たしか1998年に、ぼくらは「自由の森フェスティバル」というイベントを行いました。私学助成の署名を集めたり、私学のアピールをするという趣旨で。当時、ヒロさんは自由の森学園に息子さんを通わせていて、保護者でいらした。そんな縁もあって、メインステージでは、ぜひヒロさんにお願いしたいと、当時のTNPの事務所に同僚とお願いしに伺った。だけど本当にお金がなくて「すみません、交通費程度だけしか出せません」って言ったら、ヒロさんは一言、「そんなものいらないですよ」って言ってくれたんです。

ヒロ　そうだっけ？

菅間　そう。ふたつ返事でOKって。カッコよかったなあ。で、また当日のステージもドッカンドッカンウケた、ウケた。体育館が揺れましたよ。

ヒロ　やっぱり自由の森は好きですからね。いや、本当、息子が大変お世話になりました。

菅間　そもそも、なんで息子さんを自由の森に入れてくださったんですか？「ナンバーワン主義で競争で勝ち抜け！」だったはずですよね。

ヒロ　そのまったく裏返しです。うちの息子は、小学校の時、クラスで応援団長をやったりして、すごく目立つタイプだったんですよ。先生にエコひいきされたりして、すごく良い子だった。でもね、良い子をずっと演じていたんです。でも、俺はそれでいいじゃんって。中学から

私立なんて無理しないで、地元の公立中学に入れて、切磋琢磨して競争してやるのがいいって思っていた。

するとうちの女房は「きっとこの子はつぶれる。良い子を演じないといけないから」って言う。そして、自由の森という自由な学校があるって言う。成績の順位もない、校歌もない、えーっ何？　面白そうだな、って思ったんです。

とりあえず息子と一緒に学園祭を見にいったんです。そしたらびっくりですよ。スゴい髪したヤツや、短いスカート履いた子やらが、楽しそうにタコ焼きを焼いている。これはほんとに学校か！　って。息子に、「どうする？」って聞いたら、「ここに通う！」って言ったんですよ。「どうして？」って聞いたら、「お兄ちゃんやお姉ちゃんたちが楽しそうだった」って言うんですよね。俺、目から鱗でしたよ。〝お兄ちゃん、お姉ちゃんたちが楽しそうにやっている〟。それに感動したって言うんですもん。二の句が継げなかったですよ。楽しそうだから、行くって言う。それに反対するも何もないですからね、行かせました。

何がうれしいってね、よく言うんだけど、親同士が友達になれる。それはなぜかって言ったら、順番をつけないからですよ、子どもにね。「アイツは何やっているの？　あれは誰なんだ？」って聞くと、「アイツは○○が得意なんだよ、アイツは太鼓がすごいんだよ」といいことしか言わない。俺たちの頃は、一番の子かビリの子っていう言い方でしたからね。それにも感動しました。そして、これこそ本物の教育だと思ったんですよ。のびのびとしてね。で、ネタもいっぱい息子からももらいましたよ。俺たちみたいに、常識にとらわれないんですよね。

以前、珍しくＮＨＫに永六輔さんが仲間由紀恵さんと出ていて、「こんにちは赤ちゃん」の歌の紹介の時、これはいつの時代の歌なのかっていう話になって、永さんが「これは、皇太子がちょうど生まれた時に流行ったんだよね。ほんとはその時の歌じゃないんだけど、ちょうど皇太子が生まれた時期にできたの」って言った。そしたら、仲間さんがわざわざ「今の曲は皇太子さまがお生まれになった時にできた歌です」って言い直した。で、永さんがまた「そうそう、皇太子が生まれた時」って言ったんですよ。俺、おかしくて「やべーよ、これはもう永さんＮＨＫダメだな」とか言ったんですよ。そしたら隣で息子が、「永さん、いいんじゃねーか」って。俺が「何で？」って聞いたら、「だって皇太子よりも永さんのほうが年上だもんね」って言うんだよね。俺、それをライブで喋ったんですよ。そしたら永さんがちょうど観に来ていて、後でハガキに「君の息子はえらい！」って書いてきてくれて。

これがホントは正しいことだと思うんですよ。俺はお笑いにくるんで言っているけど、人間に上下はないよねっていうのを、息子は自然に身につけているんですよね。

菅間　去年の夏、職場の仲間で私学の大きな教職員組合の研究会に行く機会があって、その時、ヒロさんの息子と一緒に飲みました。うれしいことに、彼は卒業して、いい意味で遠回りして、自由の森の教員になって帰ってきてくれた。

いろんな話をしましたけど、彼はとてもヒロさんのことを尊敬している、そのことが強く伝わってきました。「俺はオヤジのこと、すごく尊敬している」って。とてもストレートに言っていました。ヒロさんの背中や生き方が、彼にすごく影響を与えていると思います。

ぼくも率直に、「子どもから見ていて、経済的に大変だなって感じたことはなかったの？」って聞いたんです。でも彼はこう言っていた。「全然心配じゃなかった。オヤジはやりたいことをやっていて、それは息子から見て誇りだ」って。これは本当の話で、まったく脚色なしです。

ヒロ　……うれしいなあ。

菅間　そして、その息子に子どもが生まれて、ヒロさんはおじいちゃんになりました。ステージでも、お孫さんの話をされますよね、「俺もジイジだ」って。その研究会旅行に、彼はお連れ合いと息子、つまりヒロさんのお孫さんを連れてきたんです。これがかわいい！　一気にみんなのアイドルでした。

ヒロ　孫の話をすると、みんなニコーッてなりますね。ステージで「俺らの年代は大丈夫なんだよ、ヨウ素なんて。他の要素でみんな死ぬんだから。でも子どもが一番、ヨウ素が溜まるんだ。俺には孫がいる、孫のためにこのまま死ねないんだ。だから原発再稼働なんて絶対ありえないよ！」って言うと、すごく説得力を持ちますよね。やっぱり自分の体験からくる話は、みんな聞いてくれる。これを理論だけで言うと、「いや、それよりも経済のほうはどうなんだ」とかなるんだけど、「俺はこの孫を死なせたくない！」と言うのが一番強いですよね、身体から出てくる言葉っていうか。

息子は立川談志師匠が本当に大好きで、俺以上にCDとかたくさん持っているんですよ。俺が立川志の輔さんの落語にゲスト出演した時以降、息子は落語にハマッてね。片っ端から、志ん生とか俺も知らないような昔の人のCDもどんどん聞いて詳しくなったんです。それである時、息子を連れて行ったんですよ、談誌師匠との席に。その時に師匠が「あのイリュージョンっていうのがあってね」って言った時、俺が「はぁ？」とか言ったんですよ。その時に「いいからオヤジ、黙って聞いとけ」とか息子に言われて。「それはあの最初のほうに出てきた話ですよね」とか息子が言って、すごい話が合って、そしたらうちの息子の株がえらくあがっちゃって。「おい、お前誰だ？」って聞くから「私の息子です」って言ったら、「いい息子だ！」って（笑）。

「おまえは本物の芸人だ」談志師匠に言われた言葉

菅間　立川談志さんは「談志の日本の笑芸百選」で、ヒロさんを選ばれました。そして、ヒロさんのことをこうもおっしゃっています。「今の芸人はサラリーマン化しちゃっている。みんなテレビを首にならないようなことしか言わないけど、本当の芸人はお前みたいに、首になっても言いたいこと言うもんだ。そういうことを言うのが本当の芸人なんだ、お前は本当の芸人なんだ」って。

面白いのは、談志さんはかつての自民党の国会議員で、右か左かで、どちらかと言えば右寄りなんだろうけど、その談志さんが、西部邁さんを連れてヒロさんのステージにいらした。そして「おまえは本物だ」って言う。その審美眼はやっぱりすごい。

ヒロ 俺も右だと思っていたんですよ。ただ、談志師匠の最後の自伝に「俺は、力道山から天皇までいろんな人にも会っている」と。「でも俺はあの一家は好きじゃない」って書いてある。それはなぜかっていうと「戦争責任をとってない気がする」って。「ええ！ そうなんだ」って感じだった。でも俺、誰かに聞いたんだよね。本当はね、言いたいんだって。でも、一応、師匠も空気も読んだりもするわけ。なんせ石原慎太郎はじめ、友達には大臣経験者とか自民党員が多かったりするので、やっぱり言えなかった。それを俺に代わりに言わせていたんだって言う人もいます。

でも、こんなことはテレビでは言えません。だから、俺はテレビに出たくないんですよ、本当のことが言えないから。テレビは結局、自主規制ってことになるでしょう？ やっぱり数ですからね。

あ！ でも、そのことを永さんに言ったら、目がキッとなって「違います。度胸の問題です！ 昔は違いました」と言われました。俺、涙が出そうなくらい感動しました。やはり今のテレビがそういうのを言わせない雰囲気にしたり、周りも空気を読んで言わなくなったんですね。

俺、人間が好きなんですよね。右も左も関係なく、談志師匠もそうだし、永さんも、小沢昭一さんもそうだし、おそらく俺の好きな人はみんな人間が好きなんですよ。

菅間 その談志さんが永さんに託された大切な張扇（はりおうぎ）を、今度は永さんがヒロさんに託された。本物の笑い・芸におけるバトンリレーのようです。また、談志さんのお別れの会で最後に登壇されて、パフォーマンスを披露されたのがヒロさんでした。

ヒロ ご遺族の強い意向だったようですね。談志師匠の奥様からお手紙をいただきました。そこに、こう書いてきてくださいました。「談志は本当にヒロさんのことが好きでした。ヒロさんが思いだしたら談志はいつでもすぐそばにいますよ」って。

●—俺の「お笑い論」

菅間 いい話ですね。せっかくの機会ですので、少し「お笑い論」について伺いたいです。ヒロさんの場合、メッセージ先にありきで、そこを笑いでくるもうとするのか、笑いをメッセージというかたちで届けるのか。もちろん、両方だと思うんですけど、その辺りはどうですか。

ヒロ じつを言うと最初は、先に笑いありきだったんですよ。30歳くらいまでは、とにかく笑ってもらえればうれしかった。でも、だんだん年を重ねるにつれて、それでは満足できなくなったんです。お客さんに合わせるんじゃなくて、俺が思っていることで笑わせたい。さらにそれがどんどん突き進んでいって、最近はもうメッセージですね。もうとにかくメッセージ。いま何が起きているのか、原発とかに対しての怒り。逆に、この怒りがないと笑いが出てこないんですよ。まず「これおかしいよ！」って怒りがあって、それが風刺とかにつながる。そしたら不思議とね、それを真剣に言うと、みんな笑ったり、そこまで真剣に言うなよって笑ってみたり。それを最近、つかんできました。

さっきの怒りの話です。怒りがないとパワーが出てこないんですが、そこにギャグを挟んで笑いに変わった時、ふっと笑いのパワーが蓄積されるんです。怒りをもって、ぱっとワンクッションおいて、笑いに昇華したときは、なんかポジティブになりますよね。まだ俺もうまく言えないんですけど。でも、このあたりのこと、ちゃんと整理すると面白いな！（笑）。

お互いがけんかしている時、絶対笑いは起きない。思わず、ワハハという時は、みんなが共感している時ですよね。だから笑いのある時、笑いのあるところには戦争は起きないと思うし、けんかにはならないと思うんです。人間の笑いっていうのは、みんなと仲良くする一番の知恵だと思います。

最近は、志の輔落語から影響をかなり受けてね。もう大好きになっちゃって。志の輔さん、落語でメチャクチャ笑わせながら、最後は泣かせるんです。その時に、「一人芸でもそれができたらっていいなあ」と思って。だから、最近は俺、そういう泣けるものも、語りもやってみたいんですよね。それも俺の仕事だろうなと思っています。まだまだ、これからですよ。
談志師匠も言ってくれていました。「ヒロ、これからだよ、これから人生面白くなるよ」って。

教師ほど素敵な職業はない

菅間 最後に、本誌（『人間と教育』民主教育研究所編）の読者の多くは教員であるということもあるので、ヒロさんからメッセージをお願いできますか。

ヒロ 俺ももともとは学校の先生になりたかったの。大学を卒業する前から教職をとって、1年だぶって免許取りました。けど、教員採用試験にどこも受かんなくてね。

菅間 そうですか！　それは初めて聞きました。

ヒロ 鹿児島、川崎、全部ダメで。やっぱり、スポーツ入学ですから。人生のなかでちゃんと試験受けたっていうのは、この教員採用試験くらいですよ。あとは全部、名前を書けば通ってきたので（笑）。
俺は教師に恵まれていました。小学校のときの先生が本当に俺のことを伸ばしてくれた人でね。この先生と、ある時、偶然出会うことができたんですよ。先生は、一人ひとりの個性を伸ばしてくれて、意見をどんどん言わせて、とにかく悪いことを一切言わない。俺は本当に勉強できなかったのに「松元くんは、建設的な意見を言うね」っていつも褒めてくれたんですよ。それから、学級会の時によく喋るようになって、「さすがヒロトくん」って（本名はヒロト）。俺、じつはそれまで引っ込み思案だったんですよ。で、それもこれも先生のお陰だって思っていて、そのことを周りで同席していた同級生に言ったら、そいつらもみんな先生のお陰だって言っているんだよね。俺だけをエコひいきしてくれていたと思っていたら、違った（笑）。

いや本当、先生ってこんな素晴らしい職業はないんじゃないかって思うんです。で、その先生に俺は「本当にありがとうございます」って言ったんです。そしたら、先生もよく覚えてくれていてね。何に感動したってね、その後も先生は、何年も教えておられるわけでしょ。何クラスも持っているわけですよね。先生のお歳は、だいたいうちのお袋と同じだから八十何歳ですよ。すごいですよ。

灰谷健次郎さんも俺にすごくいいことを教えてくれた。生前、灰谷さんは「あのねヒロさん、人間を百点満点でつけるのはよくないよ」って言うんだよね。そんな考え方があるって知らなくてね。自分と同じ考え方なんだけど、その時はうまい言い方するなあと思って。「本当は300点の子も400点の子も500点の子もいるんだ。それを100点でやろうとするから減点主義になる。それは間違っている」って。まさに自由の森学園と一緒だよね。点数なんてつけられるはずないんです。子どもっていうのは才能の塊だっていうことを言うんです。

俺、その話も先生に言ったんです。そして「先生のお陰なんだよ。先生のお陰でいま俺はこんな商売ができて、先生は知らないかもしれないけどね」って。そのことを一生懸命言ったらさ、もう先生は泣いて喜んでくれてね。やっぱり、先生ってとってもいい商売だって思うな。

菅間　もちろん、その先生も素晴らしかったんだけれども、談志さんにしても永さんにしても、そして灰谷さんにしても、ヒロさんという存在があって、その写し鏡みたいなところもあるのではないでしょうか。だからヒロさんの人間としての魅力とか素晴らしさが写し鏡になっていて、そういう関係がつくれるというか。

あと、不思議なんですけど、いい先生っていうのは、みんなに語っているんだけど、なぜか子どもは一人ひとりに語っているように聞こえるんですよね。

ヒロ　あら！　うまいこと言うなあ。それですよ。それがね、じつは芸の原点なんですよ。それも談志師匠に学びました。本もそうですよね、さっきの井上さんの話じゃないけど。俺に語りかけてくる。師匠は、「あのね」って、ひとりに語りかけるんですよ。そうすると何千人って人たちがサーッてその中に入ってくる。

これは実際にあった話です。俺がゲストに出ているとき、師匠の高座後半、喉の調子が悪くて声が聞こえなくなったの。千人規模の会場だったんで「ごめんね、ちょっと喉が悪くてね」って言った時に、PAの人がマイクの音量をあげたんです。そしたらハウリングした。そのとき談志師匠が「ちょっと待て、マイク消せ！　マイクなくても聞こえるはずだよ、昔は聞こえたんだよ。その気になれば聞こえるんだ。消せ！　消せって言ってるんだよ！」って怒ったんです。で、ＰＡの人もしょうがないからマイクのボリュームをゼロにしたんですよ。まったくマイクなし。それで師匠が「後ろの人、聞こえるだろ？」って言ったら聞こえたんですよ。たしかに聞こえる。そして、「その気になれば聞こえるんです」って言ったの。本当にひとりに語りかける舞台だった。本当の名人とか天才は、お客さんも天才だと思っているんですよね。それを感じました。

先生もそうじゃないですかね。例えば、子どもに「この子は絶対わからない」と思いながら教えたら、絶対わからないですよね。「絶対わかる」「いや、絶対この子は才能の塊だ」って思ったら、それが伝わる。

前はね、俺がおっかなびっくり喋っている時には、客のウケがイマイチだったんですよ。ところがある時、永さんが俺に言ってくれた。「ヒロくんはお客さんを味方につけるようになった」って。やっぱり、その人たちを信じるっていうか、その人たちを信じれば絶対自分のほうが正しいし、あなたたちも絶対正しいって。それは敵とか味方じゃないって。

萱間　人を信じることができるという、その自分も信じないといけないですもんね。ヒロさんのステージで、「俺はこう思うんだ！」ってズバッと言い切ったり、胸張って言ったほうがお客さんも共感できるっていうのは、そういうことかなって思いました。

ヒロ　そうだね。みんなも不安に思っているみたいですよね。世の中いろんな人がいるし、俺はこう思っているけど、そうじゃない人もとても多い。「自民党に入れる人が多いし、俺が正しいと思うのは違うかもしれない」と思う時がある。でも、「正しいのは命を大事にするほうでしょ！」ってステージで言ったら、みんなも「そう！」って言ってくれた。大事なことに「中立」なんてないんですよ。

菅間　「日本でもっとも刺激的な笑いを生みだす人」とヒロさんを評する佐高信さんが、西部邁さんとの対談でこう言っていました。「中立とか客観というのはものごとにコミットメント（関与）しないことだ」と。そこは二人の意見が一致していた。だから、ヒロさんが「客観・中立」じゃないのは当たり前だと。状況にコミットしているんだから。状況に関わっているからこそ、「ある立場」が出てくる。

ヒロ　本当、そうだね。客観は関わってないことか……。それが一番無責任です！　何が一番いけないって、無関心が一番いけない。知らんぷりとか、関係ないって、それが一番怖いことですよね。

ＴＮＰの時に、俺は「それは中立じゃない」ってよく言われていました。俺は「みなさんそれは中立じゃないっていうけど、おれは真ん中のことを言っているんですよ。でも、俺が左寄りってみんなが言うってことは、みんなが右に行った証拠だ！」って言って、笑いをとっていたんだけれども。その時には、コミットするとかいうことは考えてなかったけどね。世の中の中立って、一体何だって言うの。笑いっていうのは中立じゃなきゃとか、学校の先生は中立じゃなきゃとか言うけど、それは違うと思いますよね。

菅間　関わったとたんに、ある立場が出てくる。そういう意味では、この時代、教師は、子どもたちの前に立つのだから、彼らにとっての最善の利益を守るための、ある立場は背負わないといけないのかなと思っています。

今日は、本当に長い時間、そして楽しいお話を、どうもありがとうございました。

清水眞砂子さんに聞く

この世界は生きるに値する

——言葉・平和・子育てをめぐって

しみず・まさこ

1941年、朝鮮半島に生まれる。児童文学者・翻訳家。青山学院女子短期大学名誉教授。主な著作に、『子どもの本の現在』『もうひとつの幸福――挫折と成長』(以上、岩波書店)、『子どもの本のまなざし』〈日本児童文学者協会賞受賞〉『青春の終わった日――ひとつの自伝』(以上、洋泉社)、『本の虫ではないのだけれど』『不器用な日々』『あいまいさを引きうけて』(以上、かもがわ出版)、『子どもの本のもつ力――世界と出会える60冊』(大月書店)。訳書にU・K・ル=グウィン『ゲド戦記』全6巻〈日本翻訳文化賞受賞〉、M・ヴォイチェホフスカ『夜が明けるまで』(以上、岩波書店)ほか多数。

このインタビューは、静岡県にある、清水さんのご自宅にお邪魔して行った。優しさと厳しさが同居する清水さんにお話を伺う、ということで事前にかなり緊張していたことを覚えている。けれど、その心配などインタビュー開始直後に、あっという間に吹き飛んだ。こちらの率直な物言いや質問に対して、清水さんは誠実に、しかし満面の笑みで、時に毒のあるユーモアを交えて応えてくださった。共感のラリーが続いて、話しながら、まるでずっと長い間の知り合いかのような錯覚に陥った。いかなる相手に対しても等しく、上でも下でもない、対等・平等に向き合う清水さんの姿勢が今も目に焼きついている。

(2015年5月2日　インタビュー)

消えたケンカ言葉、見えた言葉の貧困

菅間　正直に告白しますが、ぼくは児童文学の世界にまったく不案内です。『ゲド戦記』も2巻くらいで挫折しました（笑）。そもそも、中学・高校時代、ろくすっぽ本を読まなかった。だから、福音館書店の編集長をしていた斎藤惇夫さんが書いておられたという、スペインに行って、「子どもたちに読書を」と言ったら、スペインの人たちが「18歳までは本など読まなくていいのではないか」と言ったというくだりや、「18歳までに何をすべきか、これだけの太陽があり、これだけの面白い人間がいて、これだけの自然がある。18歳までの時期はそれをたっぷりと吸い込む時期じゃないか」という話（『戦争を伝えることば』）とか、「詩人の長田弘さんが『子どもの本の森へ』のなかで『大事なのは、どれだけ本を読んだかではなく、気になっている本がどれだけあるか、ということ』」（『幸福に驚く力』）など、清水さんがご著書で紹介されていた言葉にとても救われました。

清水　すごい言葉ですよね。私も、絶対そうだと思いました。

菅間　でも、清水さんご本人にはとても興味があったので、いつかお話が伺えたら……と思っていました。最初に清水さんの講演に伺ったのは、2008年初夏、東京・大泉九条の会主催の講演会でした。実は、その場にパネラーで参加した、自由の森学園の中学3年生の子に誘ってもらったんです。「九条の会」だから、菅間なら好きなんじゃないかって思われたんでしょ

う。

清水　素敵な生徒さんですね。私も覚えています。

菅間　その講演で、ぼくら夫婦ともども清水さんにすっかり魅せられて、そして、連れ合いはその後、編集に携わっていた雑誌『クレスコ』（大月書店）で、清水さんに連載「子どもの本のもつちから」を依頼することになりました。[1]

連載でも、「新入生の顔には、なぜ、18、19になって子どもの本のことを勉強しなくてはならないのか、と言いたそうな表情が浮かんでいます。こうした思いこみを最初の授業でこっぱみじんに壊さなくてはなりません。我を忘れてぼうっとさせねばなりません」（32回）と、気迫十分の文章もあります。興味深かったのが、学生同士で悪口を言い合うというものでした（14回）。学生に、知っている限りの悪口・罵詈雑言をノートに書きだしてもらい、体育館で向かい合った相手を見つけて、言い合うと。そしたら意外と悪口が出てこない。

清水　そう、出てこない。知らないんですね、悪口を。私がいた短大の学科って幼児教育を学ぶところだったでしょう。保育系の先生たちは学生たちに「きれいな言葉を使いなさい」「優しい言葉を使いなさい」「乱暴な言葉はいけません」と言うわけね。卒業生は現場に出ると、子どもに同じことを要求するわけ。こうなると、子どもたちはいったいどこで子どもたちの持っている野性を発揮できるの？　いつもいつも押さえこまれているわけ。私が子どもの頃は、ケンカになれば罵詈雑言が飛び交い、最後はそれこそ「イタチの最後っ屁」を放って、その日はすっと引き上げて「また明日」ってことになった。そういうことが、現在子どもたちの話に出てこない。

菅間　ぼくも、生徒を少し強い口調で叱るとき、語気を強めて「このスカポンタン！　こんなことをするやつは、豆腐の角に頭ぶつけて死んじまえ！」って言ったりしたことがあるんですけど、生徒は「何？　その言葉？　ウケる！」とか言って、言葉を真似するんですね。真面目な生徒には「菅間さん、死んじまえ！　はよくないよ。せめて、くたばれ！　くらいにしないと」とか言われます（笑）。

清水　面白いわね（笑）。でも、そのケンカ言葉の衰退は、「ごめんね」「いいよ」プラス「かわいい」、一方、悪口は、「きもい」「うざい」「死ね」の大氾濫という現象に連なっている。これでは、いじめが起こるわけだと思いました。言葉っていうのは、自分のなかにあるもやもやと形にならないものに水路をつけて、それを流してやるという役割を持っていると思うけれど、こんな貧弱な言葉でそういう気持ちがどうやって昇華できるんだろう？

この種の疑問は2013年の広島・呉の少女集団暴行殺人事件の報道を聞いていても持ったし、2015年の川崎市中一男子生徒殺害事件でも持たされました。LINEに流れた言葉がいくつかテレビで放映されていたのですが、こんな貧しい言葉でよくも、まあ15、16歳まで生きてこられたものだと思いました。本当に恐ろしく言葉が貧しい。彼、彼女らが自ら選んできたのではなく、そこまで育つ間に、言葉をしっかり伝え、育んでくれる人に一人も出会わなかったのだろうかと、痛ましささえ覚えました。

いったい、子どもたちはどこでどういうふうにして言葉を獲得していくのか。私は、一人でいいから育ちのなかで「誰か」と出会ってくれたらと思う。そんなに大勢じゃなくていいの。でも、その一人にも会えないままきてしまう子どもが結構いる。学生にも、短大に来るまで教科書以外読んだことない学生が、時々いるんですよ。私のゼミの学生にも、そう告白した学生が一人いました。短大に来て初めて本を読む面白さを知ったと言うんです。「嘘でしょ?」と言ったら、本当だという。ぐんぐん読み出していた学生だったから、本当だという。短大2年・専攻科1年を卒業する頃には、須賀敦子全集を読破するまでになっていました。本を読む楽しさを知っている学生って、聞いてみると、それまでにどこかで読書の楽しさを身をもって伝えてくれる大人に出会っている。一人でいいんです。でも、その一人に多くの子どもたちが出会えていない。

●評価をめぐる、清水VS芹沢論争

菅間　次に、今年(2015年)2月の大阪での講演で清水さんが言及なさった、芹沢俊介さんとの間で行われた「評価」論争についてお伺いしたいんです。論争を超えて、ほとんどケンカになったとおっしゃっていらしたので、ぼくも早速、その対談が載った雑誌『同朋』201

3年2月号を購入して読んでみました。でも、その部分が全部カットになっていました。

清水　そうなの。でも大事なことだと思うのよね。私はあの問題については、一歩もひけないし、芹沢さんも、たぶん一歩もひけないんだと思います。

菅間　論点をざっくりと言うと、芹沢さんは学生全員に評価で「優」をつける。教師は権力者であるがゆえに、つけた成績によって彼らの一生が左右されてしまうからだと言う。一方、清水さんは、昔自分もそう考えた時期があったけれど、評価というのはある範囲（試験やペーパー）においてのものであると言う。そして、この後が清水さんらしいと思うんですけど、「今後、私の評価を吹き飛ばす人、ひっくり返す人に会ってほしい。私の評価は、私自身のその時点での、しかもきわめて限定された範囲に対するものである」。ここがぶつかり合ったのですね。

清水　ええ。全員「優」って言ってしまった途端に、一種の無責任さが生まれるんじゃないかって。

菅間　同感です。でも、そんなにケンカっぽくなってしまったんですか？　だからカットになったのかな？　だとしたら、その部分を残すことによって、逆にすごく読者に考えさせたと思うんですけど。

清水　私もそう思うの。あれは本当に載せておいたら面白かったと思う。私は今でもまだ議論の続きをしたいくらい。できるものなら本当に。でも彼は、これはもう私に話してもしょうがないって思ったんでしょうね。あの後、一切、交流は断たれてしまいました。

実はあの問題は、私にヒントをくださった同僚がいるんです。勤務先の短大の彫刻家の先生で、いい仕事をされてきた方です。クリスチャンの先生でね、彼は学生たちをしっかり抱擁するんだけど、ものすごく評価は厳しい。いつも先生の科目で落第生が出るの。事務的にはいろいろ困るところも出てくるんだけど、なんて言われようとも彼は「だってぼくはその範囲での点しかつけていない。その点についてはこの学生はこうなんだから。別に他の部分まで否定しているわけじゃない」って。何回かそういう場面に出会って、「そりゃそうだ！」って、私も思い始めたんです。

菅間　芹沢さんは、清水さんと一緒に『家族の現在』という本も出されているし、彼の「イノセンス論」などは、リベラルな教師とかが縁（よすが）にするところがあって、影響力が大きいと思うんです。だから、芹沢さんみたいな人が「ぼくは全部優をつける」なんて言うと、そうか、やっぱり教師は権力者で、評価をつけるなんてことをして、自分はどうなんだろうか……というふうにとらえる人はいるんじゃないかと。その清水・芹沢論争については、ぼくは断然清水さんに軍配をあげます。大事なことを直視し、きちんと指摘し、ある範囲において自己と他者に厳しく対峙する。だからこそ信頼できる。そういう先生から受けた「評価」は、嘘じゃなくて、掛け値なしだと。学生から見たら、単に「評価」の問題のみならず、「生き方」のロールモデルになっていると思いました。

清水　でも、私は、勉強や思索を重ねてそういう考え方に至ったわけじゃないんです。もっと呑気なの。夫（科学者）と結婚した時だって、自分が大学に勤めているなんて言ったら彼に軽蔑されるんじゃないかと思って、自分の職業のことを結婚までの10年間、ずっと黙っていた。

菅間　へぇ！　10年間もですか。意外です。

清水　そう（笑）。彼は学生運動のただ中にも身を置けば、文字を奪われたまま暮らしてこざるを得なかった人々に学ぼうとも真剣に考え、そのように生きてきた人でしたから。彼と話していると、教師がいかに権力者になりうるかを思い知らされる。彼のそういう話を聞くたびに「そうだよなあ」と頷いちゃって。評価するなんて、そんな権利がこちらにあるんだろうかと思っていたんです。だから芹沢さんのように考えていた時期がすごく長かったんです。それが、さっき言った彫刻家の先生と出会って、「なるほど！」と思って。だいたい、自分の評価がそんなに対象となる人の人生を左右するなんておそれるほうが、ずっとおこがましい。私みたいな人間を否定するなり無意味にしていく人にどんどん出会うようにエンカレッジするのが、私たちの仕事じゃないかって思うようになったんです。

●10歳以下の子どもに戦争を教える必要はない

菅間　さて、今年は戦後70年です。いわゆる「平和教育」「戦争学習」の文脈で、清水さんはつねにこうおっしゃっていました。「あんまり小さいうちに、戦争のことをそんなに教える必要はない。この人生は生きるに値する。この世界は生きるに値する。そのことを先にたっぷり味わってほしい」と。そして、それこそが「児童文学」の仕事なのだと。「生きることの楽しさを十分味わったうえで、人間の悲惨さや愚かさも必要と思うなら伝えよ」と。

　そして、これは知人の元教員に聞いた話で、関連して、清水さんにちょっとお聞きしたかったことがあるんです。それは何かというと、「ポーランドでは、小学校6年生まではアウシュビッツのことを一切教えない」らしいんです。清水さんの説と、ポーランドの話がつながりました。ただ、ことの真偽は確かめられていないし、確かめる術もわからないのですが、そのあたりのこと、もしご存知でしたら教えていただきたいと思いまして。

清水　いや、それは知りませんでした。ただ、順番としてそういうふうにやっていくべきなんじゃないかな、と思いますね。理由は、今、菅間さんがおっしゃられた通りです。付け加えて言えば、今の話は、赤木智宏さんの「『丸山眞男』をひっぱたきたい」（『論座』２００７年１月号）とつながる問題じゃないでしょうか。(2)

　赤木さんの論稿は、こんなひどい社会で、厳しい現実を生きる若者たちが増えているなかで、ある意味では、出るべくして出たものだと思っています。学生たちといると、とにかく「どうせ、どうせ」と、「どうせ」が多い。それから「なんか面白いことないかな」とも。彼らのそういう日常ともつながっている。私は、子どもに、特に10歳以下の子どもに戦争を教える必要なんて全然ないって思っているんです。この世界がどんなに素敵で素晴らしいもので、光あふれていて、よいものかということをまったく知らず、失うものがないと感じるとき、人間ってひどいことをやってしまうんだと思う。だから、そこは絶対譲れないところですね。でも、この考え方は読書運動のなかではかなり少数派です。子どもには、小さい時から戦争を教えるべきだっていうのが主流。ちなみに、私は広島・長崎の原爆についてだって、10歳まではやらなくていいと考えています。もちろん、自然に入ってくる分には拒むことはないけれど。

でも一方で、「戦争を教わらなかった」という学生がいます。〝戦争の悲惨さ〟なんて学校で一切やらなかったって。そんな彼らに、私は言います。「二十歳になってそんな言い訳をしているなんて、それはあなたたちの怠慢だ」って。高校生くらいになったらそういうことは当然考えるべき。教えてくれなかった、知らせてくれなかったっていう学生に対しては、「それを他人のせいにするな」と言ってきました。

●――「平和を生きのびる」ことの過酷さ

菅間　一方、清水さんは――エリクソンで言えば「基本的信頼」、芹沢さんの言葉で言えば「受け止められ感」ということになりますが――安心して世界に抱かれる感覚、そういうものがない学生がとても多いとおっしゃっています。「掛け値なしに、条件付きじゃない愛され方をしていない学生たちがすごく増えている」と。
そのことと絡むことですが、雨宮処凛さんが、こういうことを述懐されていました。雨宮さんは、凄まじいいじめを受け、バンドのおっかけをしたり、右翼団体に入ったり、そして現在、プレカリアート運動や反貧困運動の牽引役を担われている、壮絶な人生遍歴がある方です。で、彼女がその右翼団体に入った時に、戦後の日本が、憲法とか左翼勢力がいかに歪めてきたかということを右翼の方から勉強する。その時に日教組が、〝教え子を再び戦場に送るな〟と言っているということを聞いて、雨宮さんは「はぁ?」と思ったらしいんですね。「私は毎日、実は戦場に行っていた」と。「だから日教組が言っている意味がわからない」と(『貧困と愛国』毎日新聞社)。その話を読んで、ぼく自身は雨宮さんの感覚はわからないけれども、でもこういう感覚の若い人がいる、ということを理解しなければいけない、想像しなければいけないのではないかと思ったんです。

清水　私は以前、経済同友会の品川正治さんと対談したことがあるんですね。

菅間　はい、冒頭に紹介した『戦争を伝えることば』という本ですね。その本には、先ほどの話につなげれば、こういう記述もありました。「人間を愛せなかったら、そして世界を愛せなかったら、どうして戦争を怖がることができるか、どうして戦争を嫌がることができるか」と。

清水　あの時に品川さんと話していて、今の若い人たちが平和を生きられず、ほとんど毎日戦場のような状況を生きている、ということが品川さんには伝わっていないのではないかと思いました。そこのところの溝がどうにも埋まりませんでした。これは私、あちこちに書いていますが、「戦争体験がある人たちがうらやましい。先生、私たちにあんなふうに生き生きと語れる経験がどこにありますか」って学生に突きつけられた体験が大きいです。だから、雨宮さんが言われること、今はじめて伺ったけれど、すごくわかる気がします。だって、戦争と日常生活とは全然違うっていうけれども、日常が「戦場」である状況を生きている人たちにとっては、「生きるか死ぬか」ってものすごい切実な問題なんだから。

ある時、ゼミの議論の最中、学生たちが中学校の時のいじめの話をしだしたんです。聞いていてわかってきたのは、そこにいたゼミ学生のじつに半数以上が、中学生の時いじめる側でもあったことでした。私は、いろいろ話を聞いていくうちに、「よく生きのびてきた。よくここにいてくれた」と心から思いました。

1986年夏、「子どもの本・世界大会」(国際児童図書評議会)が東京で開かれ、ある分科会で私は、「戦争を生きのびるのはもちろん大変だけれど、平和を生きのびるのはもっと大変だ」と発言して猛反発を受けました。松谷みよ子さんからも、「あの発言を撤回せよ」と言われました。信頼していた編集者からも、「平和」という言葉と「生きのびる」という言葉はミスマッチではないかと言われた。あるイギリス人の作家からも、「それは戦争を知らないからだ」と言われました。だけど、今になってもやっぱり私は撤回する必要はなかったと思うし、ますますその問題って大きくなっているなという気がします。

千枚衣とパッチングケア

清水　名古屋の児童相談所の所長を長くやってこられた方で、牧真吉さんという方がおられます。牧さんは、我が子を虐待してきた親たちと面接しては思われたといいます。なぜ親たちは、虐待なんかするのかと。でも、やがて牧さんは気づくのですね。例えば、虐待を受けたとして3歳の子が連れて来られる。3歳までの日々、このお母さんは、まがりなりにおっぱいやって、ミルクをやって、おむつ替えてと、その繰り返しをやってきている。だからこそ、今ここに3歳の子が生きているのだと。このことに気づいた瞬間、彼は「お母さん、よくやったね」って、初めて自分の口から掛け値なしの言葉が出てきたっていうんです。(3) 私は、牧さんのこの言葉がうれしくてうれしくて、東京にいた夫にすぐ電話で知らせました。すると夫が言ったんです。「それはお母さんだけじゃなく、子どもにとっても本当によかった」と。どうしてって聞いたら、「これから先、どういう人生を生きることになろうとも、少なくとも生まれて、たとえば3年間、そういう日々が自分にあったということ、お母さんにいろいろしてもらった日々があった、というそのことを認識できるだけで、その子は生きていけるじゃないか」って。

私たちは、でも、そのことになかなか気づかないんですね。お母さんの虐待ばかりを非難してしまう。そういう日々がたしかに自分にあった。そういう認識のありようを牧さんが本に書いておいてくれただけでもいい。それが子どもがこれから生きていく時にどれだけ人間の信頼につながるか。だいたい、虐待が報道されるときには、そうした日々の繰り返しはほとんど無視されてしまうんですよね。大事なことは、そういうことにどれくらい気づけるか、ってこと。そうした気づきこそが、実は私たちみんなを生かしてくれるような気がします。

菅間　子どもの虐待の話が出ましたので、これも、清水さんが講演でふれていらした、〃江戸の捨て子たち〃の話につなげたいと思います。具体的に言うと、千枚衣の話です（『江戸の捨て子たち』沢山美果子、吉川弘文館）。江戸時代、岡山をはじめ、埼玉・秩父でも子どもが捨てられる時、ツギハギだらけの着物を着せられるという風習があったといいます。それは貧しさの現れかと思いきや、そうではなく、今手ばなさなくてはならない子どもが、できるだけ大勢の人の手を借りながら育っていってくれますように、という祈りをこめての風習だったことを沢山さんは研究を重ねて、つきとめられました。

話が飛ぶかもしれませんが、西川勝さんの『ためらいの看護学』（岩波書店）という本に「パッチングケア」という言葉があるんです。もともとは「パッシングケア」って認知症の方の対応、ちょっとスルーしたりするっていう意味らしいのですが、それを全部流すのではなくて、ある程度介入したり、違うよって言ったりするのを「パッチングケア」って呼ぶそうです。それで、ぼくのなかで千枚衣と「パッチングケア」はつながりました。千枚衣は、言ってみれば「パッチワーク」、つぎはぎです。みんなで目をかけ、「手当て」して、子どもを育てる。いま子どもを育てるのは本当に大変な営みなんですけど、なにかちょっとヒントがあるかなと。看護と子育て、ケアという点でも通じるかなと思って。

清水 なるほど、それはいいことを教えていただきました。私も、以前から沢山さんの研究に対する姿勢にとても惹かれていたのですが、『江戸の捨て子たち』で、ますます信頼を厚くしたひとりです。

菅間 渡辺京二さんの『逝きし世の面影』(平凡社ライブラリー)でも描かれていたような、前近代の日本社会において、お父さんは子どもをすごく大事に育てていたり、溺愛するぐらいの、一切叱らないみたいな子育てがあったり、千枚衣みたいな風習があったりしたけれど、あっという間に断絶してしまった感がある。これらのことは専門書まで手を伸ばさないとなかなか出会えない話なんですけど、もっとそういうものが民衆のなかの生活知レベルで継承されていけば、もう少しお母さんたちが楽になれたり、肩の荷が降りたりするんじゃないかと思います。親一人が子一人を育てるなんて、土台無理な話なのだという、ごく当たり前の事実に気づくと思うんです。

福祉の充実と「生きる力」

清水 本当にそう思います。無理ですよね、一人でなんて。ただ……、一方で私はこんなことも思うんです。『世界の果ての通学路』っていう映画があったでしょう？ ご覧になりました？

菅間 はい。学校へ通う毎日が試練と冒険の連続、という。清水さんの最新作『大人になるっておもしろい？』でもふれていらっしゃいました。

清水 そうでしたね。あの映画は福祉の充実を願うのはもちろんだけれど、一方にひとつの危さがあることに気づかせてくれました。あそこに障害をもつ長男を次男と三男の二人がずっとガタガタの車椅子を押して学校に連れていく話があって、最後の最後、二人が到着して校門を開けた途端、同級生がわーっと出て来て、車椅子を運んでいく場面があったでしょ。私は、あれがいま日本の学校からほとんどなくなってしまったと思ったんです。なぜかっていうと、子どもにそれをさせないで、介助員など、その道の専門家をおいてしまう。だから、子どものほうは本来仲間なのに全然世話しなくてすんじゃう。親御さんたちのなかには「子どもたちにそこまで負担させるな」っていう声もあるらしくて、自治体としてはそうせざるを得ない、というところもあるのかもしれない。でも、そうすることで私たちは助け合う力を失っていく。だから、「福祉の充実」と言われるものが、一方に相当危ない面をもっているなあと気づかされました。

スウェーデンの友人たちと話すと、「そういうことは専門の人に頼めばいいのよ」って簡単に言ってしまうんですよ。何もこっちでやらなくてもいいと。それはたしかに楽といえば楽だし、やりやすいのかもしれないけれど、でも、ちょっとだけみんながからだを動かし、口出しすれば、お互いがもうちょっと気持ちよくいけるのに、って思うの。子どもたちがわーっと手助けにかけよって来るという風景は、日本でも昔はありました。でも、今はなくなった。

菅間　福祉における効率性、便利さの追求が、私たちの「生きていく力」を奪っていくのではないか、というお話ですね。もちろん「福祉の充実」がなかったらどうなるかと言ったら、弱いところにものすごいしわ寄せがいくでしょうから……。物事の両面、プラスマイナスあるのだ、ということですね。

最後に、本誌の読者の多くは教員であるということもあるので、清水さんからメッセージをお願いできますか。

●――コンプライアンスの大合唱を疑え

清水　「教室は、わからなくてはいけないところ」だって言うでしょう？　でも、本当にそうなんだろうかという問いかけはいつもしていたいと思っています。言葉を変えて言うと、広く謎に満ちた世界に向かって、子どもや若い人たちと窓辺に立ちたい。少なくとも、教師が世界と子どもの間に立ちはだかることだけは避けたいと思うんです。

子どもと世界の間に立ちはだかってしまう教師って結構多い気がします。つまり、教師のもつ世界認識の範囲を超える子どもたちに対して、教師としては時に嫉妬もあるかもしれないけど、抑えに入るということ。子どもと一緒になって驚き、不思議がり、戸惑うといったことをしてほしい。でも実際は、世界のすべての問いに全部答えなきゃいけないと思う教師って、多い気がします。教師がすべてに自分の答えを持ち、それをもとに子どもにわからせなくては、と思い始めた途端、教師は自分にわかる範囲のことにしか手を出さなくなる。そうやって、子どもを自分と同程度の狭い世界に閉じ込めてしまうんです。

もう一つは、今だから言いたいことがあるんです。ノルウェーのオスロに、抵抗博物館があるんですね。そこに行った時に、私たち夫婦は、半日くらいぐずぐずしていろんなものを見ていたんです。あそこはナチに占領されたでしょ。その時、ナチは小学校を通して自分たちの思想を子どもたちに広めようとするわけですよね。ところが学校が開いていればいるほど、どうも反ナチに傾いていくことに気づくわけ。それで何度か学校が閉校になっているんですね。正確な数を覚えていないんだけれども、たしか3割くらいの先生たちが逮捕されたり連行されたりしている。私はその博物館を見学しながら、今日本で同じことが起きたらどうなるんだろうと思った。99パーセント、このようにはならないなと。

いま先生たちが忙しい忙しいって言うでしょ。私は何年か前から「忙しくて、ようございますね」と、とても言いたくなっています。イジワルね、私。でも、「サボる口実ができていいですね」って本当に言いたい。地域の九条の会で、今の教育現場を知らない人たちが結構な数になっているから、現場の先生たちに来てもらって学習会をやろうってことになって、日曜日に、50代の先生たち何人かに来てもらってやったんです。すると、やっぱり出てくる言葉は「忙しくて授業の準備ができない」「子どもと向かい合う時間がない」ばかり。私、「授業の準備ができなくて、子どもと向かい合うこともできなかったら教師でいる意味がないのに、なぜ抵抗しないんですか?」って聞いてしまったの。そしたら一人の先生が「だって私たちは人間である前に公務員ですから」って。今それがものすごく徹底していると思うのね、公教育のなかで。

ここ何年か前から「コンプライアンスの大合唱」になっています。コンプライアンスの意味だって、本来は「法令順守」より「追従」とか「へつらい」という意味なのに、コンプライアンス、と言われると「法令順守」が真っ先に来て「ははー」ってひれ伏すような状況になって。いや、この状況こそ、法令順守よりも本音のところで国家が求めているものなんでしょう。

いま現場の先生たちにどうしても言っておきたいことがあるとすれば、それは「もっとサボれ」ということ。意味もなく、ろくに読まれもしない書類を作ることに、なんであなたたちはそんなに唯唯諾諾と従うのかって。「サボタージュという抵抗を忘れたの？」って言いたい。書類作成を手抜きしたら即クビという事態にはまだなっていないはず。少なくとも私は意味のない書類作成の犠牲にはなるまいと努めてきた。生徒や学生のことを考えたら、教師にはそんなことにかまけて忙しくしている暇などないと思うんです。もう一つ、自分自身に対して説明のつかないことはするな、と言いたい。

例えば、『アンネの日記』の話をするのはいいですよ。だけど、ならばミープ・ヒースのことを同時に伝えなきゃ。

菅間　フランク一家たちを匿って、彼らをずっと支え続けた女性ですね。

清水　ええ。でも、ミープ・ヒースはコンプライアンス違反をした人ですよね。それから戦時中、名古屋の東山動物園でゾウを飼いつづけた人びとだって、いわばコンプライアンス違反。安倍首相にも大きい声で言いたい。アンタは「杉原千畝という、素晴らしい先輩を我々はもっている」とイスラエル訪問時に誇らしげに演説したけれど、あの人を、帰国するや、今で言えばコンプライアンス違反で外務省から追い出したのは誰ですかと。よくもまあ、こんな明らかな矛盾をそのままにして、この人はものが言えるなって思いました。『アンネの日記』を伝えるならば、コンプライアンス違反をした人によってアンネたちが生かされていたこと、法令順守した人びとによって殺されていったこと、この問題を自らに問わずにいていいのかと。少なくとも私自身は自らに降りかかってくるこの問題から逃れることはできませんでした。矛盾したものを、そのまま矛盾しているよと伝えるならいいですよ。でも、それを、さも何もないように、きれいなかたちで伝えているでしょう。

菅間　その矛盾は、もしかしたら、見えている子どもには見えているのかもしれません。

清水　そうね。考える子だったらわかるかもしれない。そういう子を育てたい。先生たちは、自分自身のそうした矛盾とどう向き合い、どう折り合いをつけているのか、その辺りをすごく問いたいところです。

いま、学校の先生たちは、本を読む時間も、映画を観る時間もないと言う。これではひからびていってしまうと言いながら、この状況のよってきたるところをすべて他人のせいにしているように見えます。厳しい言い方であることは百も承知ですけれど、忙しかったら闘えよって言いたい。人間であり続けようとするなら闘えと。それが責任を持つということでしょう。

そうそう、びっくりされるでしょうけど、この静岡の掛川地域って二宮金次郎の像が今、続々と校庭に建てられているの。

菅間　本当ですか！

清水　ここは二宮尊徳の考え方を受け継ぐ、いわゆる報徳社運動の本拠地なんです。金次郎自身は確か小田原の人でしたけれどね。彼は、農民の節約と労働強化による剰余を開墾や水利に投じて再生産を、と謳いました。この運動には、プラスもあったのでしょうが、マイナス面も大きかった。

1970年、大井川の東岸に位置する島田から、この地区の海沿いの高校に転勤になった私が驚いたのは、生徒たちの体位の低さでした。女子生徒の胸囲が、前の高校の生徒たちに比べて平均10センチ近く低い。養護教諭に尋ねると、この地区の体位は県で下から二番目だという。これがひたすら質素倹約を唱え続けたこの運動が、高度成長期にまで遺したものだったのです。この地区の食文化の貧しさは今も、と思います。でも、そういうマイナス面は一切ふせられて、今また「親に孝を」などと叫ばれ、人びとの寄付であちこちに金次郎像が復活建立されている。私の暮らす校区の小学校でも、もう建ちました。

先生たち、どうするんでしょう。戦後の70年を考えてみても、江戸末期のこの人こそが、いま自分は掛け値なしに尊敬できる、それで二宮金次郎を建てる、と言うなら、私は何も言いません。だけど、検証もされないまま像を建て、このままではそのうち、お辞儀しろとさえ言いかねない。その時に、先生たちはどうするんだろうと考えてしまいます。

そうそう、『山びこ学校』（無着成恭、岩波文庫）のなかに二宮金次郎の像を、遠足か何かの折に見かけた生徒が作文に書いていましたね。3～4年前に改めて読み直して見つけたんです。その生徒は「あの程度の荷物だったら、歩きながらだって本くらい読めるさ」って。思わず拍手してしまいました。『山びこ学校』の子どものそういう精神の健康さ、とてもいい（笑）。ステキでしょ？

菅間　清水さんの足元で、二宮金次郎の像が次々と……。うーん。まだまだいろんなことをお伺いしたいのですが、時間となってしまいました。今日は長時間、本当にありがとうございました。

［注］

（1）のちに、『子どもの本のもつ力――世界と出会える60冊』（大月書店、2019年）として刊行。

（2）当時、フリーターで31歳だった赤木氏は、この論稿で、戦争が起きれば自分が上の身分に上がれる可能性があるから、日本が戦争をすることを希望すると述べた。

（3）牧真吉『子どもの育ちをひらく――親と支援者ができる少しばかりのこと』（明石書店、2011年）

奥田知志さんに聞く

本気で〝助けて〟って言ったこと、ありますか?

――助け/助けられることこそ教育

おくだ・ともし

1963年、滋賀県生まれ。牧師。NPO法人抱樸代表、NPO法人ホームレス支援全国ネットワーク理事長、公益財団法人共生地域創造財団理事長など。関西学院大学神学部大学院修士課程修了。西南学院大学神学部専攻科卒業。九州大学博士課程後期単位取得退学。学生時代から大阪釜ケ崎にて支援活動に参加。1990年、日本バプテスト連盟東八幡キリスト教会牧師に就任。同年よりホームレス支援組織「北九州越冬実行委員会」に参加。著書に『助けてといえる国へ――人と社会をつなぐ』(共著、集英社新書)、『もう、ひとりにさせない――わが父の家にはすみか多し』『いつか笑える日が来る――我、汝らを孤児とはせず』(以上、いのちのことば社)ほか。

NHKの番組「プロフェッショナル」で、最も記憶に残り、最も心動かされたのが奥田知志さんである。その言葉と活動に圧倒された。知人を介してなんとかアポが取れ、実際にお会いしたところ、驚くほどに話が弾み、その人たらしぶりにしたたか酔わされた。特定の宗教に属していない私は、神とは縁がないのだが、奥田さんを介しての、地の塩たらんキリスト教は信じられるような気がする。「生活困窮者」支援の過酷さと果てしなさは想像を超える。休むことなく走り続ける奥田さんの活動に深く敬意を表しつつ、翻って己のフィールドで、できることを精一杯やろう、とシャンと背筋を伸ばす自分がいる。
(2015年7月18日　インタビュー)

●──「ひとりでいること」と「ともにいること」

菅間　ぼくが奥田さんの存在を知ったのは、NHKのテレビ番組「プロフェッショナル」においてでした。最初のオンエアが2009年3月10日、パート2が2012年4月16日。前者では、牧師でホームレス支援をされる奥田さんが、路上生活者・生活困窮者に丁寧に同伴される姿が、後者では、3・11後の東北支援のありようが描かれました。番組では特に、奥田さんの発せられる言葉がとても印象的でした。

　毎回インタビューをお願いする方は、〝超〟がいくつもつく多忙な方々なんですが、奥田さんも例外ではなく、今日の日程設定も本当に奇跡のようなものでした。まず、奥田さんが全国飛び回られている日々の活動について教えてください。お休みは取られているんですか？

奥田　毎日どんなふうに過ごしているかですか？　うーん、自分でも訳わかんなくなっていますね。たしかに、休みはないなあ。今は、ホームレス支援、教会の仕事、震災支援では「共生地域創造財団」の理事長をやっていて、月1回か2回は、仙台や岩手に行っています。あと、地元の大学で教えていたり……。まあ、様々なんです。でも、一つのことをずっとやるよりも、ステージが変わることで、結構大丈夫だったりするんです。これが同じことだけだったら、ちょっとまずいかもしれないんだけれど、切り替えがきくので、それはそれで新鮮で創造的な仕事になっています。一方で、それぞれがまったく違うことかと言えば、そうではない。

ベースのところでは「ひと」という点でつながると思います。私は「ひと」が好きです。誰かと出会うことはすごく楽しいし、希望が持てます。すぐ友だちになって、飲んで、意気投合します（笑）。

一方で、私はひとりにならなくてはいけない、とも思っています。そもそも、ひとりでいることは嫌いじゃない。いや、むしろ好きです。

菅間　ぼくもひとりでいることも好きです。他者との距離って大事ですよね。

奥田　そうなんです。「絆が大事だ」なんて言うでしょう。でもね、ひとりになることのできない人が「ともに生きる」なんてやりだすと、おかしくなると思います。依存的になったり、あるいは支配的になったり、自他の境界線が曖昧になる。ひとりになることができない人は、ともに生きることに用心しなければならない。そして、誰かとともに生きていない人は、ひとりになることに用心しないといけない。それは単に孤立しているだけですから。「ともに生きる人」「誰かと出会える人」が、ひとりになれると思うんです。両者は、一つの事柄です。

少し話が飛ぶかもしれませんが、私の息子は中学時代、いじめで学校に行けなくなりました。いじめは承認をめぐる事柄だとも言えます。いじめの構造の根底には、「認められないという不安」「存在の不安」があるように思います。「認めてもらう」ためには支配者の傘下に入らざるをえない圧力がかかる。しかし、その圧力に屈服しても「認められるか」というと、全然そんなことはない。相手の色に染まっただけで、自分は消される。「個人」として存在するなかで他者と出会えることが大事だと思います。
　私は、多くの仲間とある意味「運動」に携わってきたのですが、現場においては「ひとりになってもやる」ということが大事だと思っています。「言われなくてもやる」、同時に「言われてもやらない」。これを「個人」として決断したいと思います。結果、「連帯」が生まれる。私は、こう見えても寂しがり屋なんです。特に、冬の東京の寂しさって尋常じゃない。来るたびに「寂しいなあ」って思う。ものすごく人がいるのに、ものすごく孤独な感じがします。でも、それがいい。「寂しさ」を知っている人は、「ホーム」を熱望します。人とつながりたくなる。人は孤独のなかで他者と出会うのだと思います。

菅間　たったひとりという「個」を大事にしつつ、ともにいるという「孤」を大事にする、と。

奥田　なるほど「個」と「孤」ですか。
　私は1988年からホームレス支援をやっていますが、すでに2800人以上が路上から「自立」されました。[1]私たちの支援の特徴は「診立て（みたて）」にあります。問題の本質をきちんと診立てる。震災支援のボランティアなどもそうですが、自分がやりたいことをやって満足するのはダメ（笑）。現場は常に想定外です。自分が予想したようなニーズがない、やったら迷惑がられた、なんてことはしょっちゅうです。だから「聴き取り」が重要です。まず聴くこと。丁寧に聴き、丁寧に記録する。これを愚直にやってきています。

●──現場でこそ、言語化の作業を

菅間 奥田さんのテレビでの映像から入って、著作を読ませていただくなかで、ああ、この人は言葉を大事にする人だ、言葉で世界と、世界の見え方を変えようとしている人だという思いを強くしました。「ホームレスとハウスレス」「ホームレスとは、絆を失った人々」「絆は傷を含む」「助けてと言えた日が助かった日」「何が必要か／誰が必要か」など……。思いつくままにあげても、たくさんの言葉がある。〝ハウスレス（経済的困窮）とホームレス（社会的孤立）の違い〟を最初に言語化したのは奥田さんでしょう？

奥田 まあ、そうかもしれませんが、同じようなことを考えていた人はいると思いますよ。

菅間 奥田さんがホームレス支援を始めた頃、中学生が野宿者を襲撃した事件が頻発していました。そのとき、被害者である野宿者のおじさんが、「真夜中にホームレスを襲撃に来る中学生は、家があっても帰るところがないのではないか。親はいても心配してくれる人がいないのではないか。俺はホームレスだからその気持ちがわかるけどなあ」と言われた言葉から、「ホームレス」と「ハウスレス」を峻別する視座を獲得されたと（『もう、ひとりにさせない』）。そういう、言葉で〝診立てる〟ことに関連して、茂木健一郎さんとの対談本で、こういうくだりがあります。奥田さんが、ご自身の恩師からこう言われたと。「お前には現場がある。けど現場にかまけていたらいかん。神学的抽象化の作業をしなさい」と。つまり、言語化の作業をせよ（『「助けて」といえる国へ』）。

奥田　それは恩師である寺園喜基（よしき）の言葉で、ナチスの支配に抵抗した、20世紀最大のスイスの神学者、カール・バルトの研究者です。ちなみに、私はボンヘッファーという、同じくナチスに抵抗して、ついにヒトラー暗殺計画に加わったヤバい牧師のことを研究していました（笑）。バルトは、ボンヘッファーの師匠にあたる人です。私は九州大学の寺園門下に入ってドイツ神学を学びました。寺園門下の学生は皆優秀でしたが、私は全然ダメ。で、寺園さんが私に言うんです。「お前は現場をやれ。もともと神学の役割はそこにある。そこに戻さないかん。しかし、現場に甘んじて、そこで完結してもいけない。その場の事柄を神学的に抽象化しなさい」と言うわけです。

学生を終えて牧師になる時に、この言葉は、とてもインパクトがありました。いま、この場で生起している事柄は、世界と無関係ではない。それどころか密接につながっている。だから、神学的抽象化＝普遍化せよと言うわけです。野宿者問題を「ハウスレス」という経済的困窮とのみとらえるのではなく、ホームレス、すなわち社会的孤立ととらえたことで、野宿をしていない中学生がホームレス問題を抱えていることが見えてきました。現在の社会には、ハウスレスではないが、ホームレス状態の人は少なくありません。

さらに、これはものの見方やテーマのみならず具体的なことにおいても言えることです。今、NPO法人抱樸でやっている「生笑一座（いきわらいちざ）」という活動があります。一座の名前の由来は

「生きてさえいれば、いつか笑える日が来る」という意味です。

そのメンバーのひとりに、西原さんという野宿歴11年だったおじさんがいます。自立して5、6年経ち、現在は、NPOの施設の職員をやっておられます。[2] 私たちは西原さんに11年間弁当を届け続けるわけです。でも、彼は空き缶集めの仕事しており「俺は働いているので、お前らの世話にはならない。帰れ！　うっとうしい！」と、とりつくしまもない。でも「弁当はおいてけ！」と言う（笑）。しかし、その西原さんが突如2009年に「アパート入ってええやろか」って言ってこられました。背景に何があったのか。

2008年秋、北京五輪があったでしょう。その開催のために中国が世界中からアルミを買っていたんです。五輪関連の建物を建てるために。その結果、世界のアルミの価格が高騰します。アルミの国際価格を決めるのは、ロンドン金属取引所。そのロンドンでの価格変動の原因は北京でした。しかも、北京五輪が終わった瞬間に、アルミ価格は暴落する。ここに、同年秋のリーマンショックが重なりました。西原さん曰く「その高騰の頃は、1キロ135円だった」と。彼はだいたい1週間に100キロ集めるんです。だから、1週間に1万3500円稼いでいた。ちなみに、始めた頃は1キロ80円くらい。しかし、暴落したときには、1キロ35円になったそうです。さらに、アルミ缶集めの「ライバル／商売敵」が一気に増えた。つまり、リーマンショックが起き、派遣切りが横行して、結果ホームレスが増え、アルミ缶を集める人が増えたわけです。

それで彼はアパート入居を決意したんです。路上生活者って、どこか「世捨て人」、世間と関係なく生きている人と認識されていることが多いわけです。しかし、北九州の公園の片隅で暮らしていた西原さんが、ロンドンと北京とアメリカとつながっている。彼の身に起こったことは、世界のなかで起こったことであり、彼だけの問題ではないわけです。

また、働くということにおいても問題が連鎖しているように思います。数年前、こんな光景を目にしました。おそらくイベント会場づくりのための派遣が集められていのだと思います。派遣会社とおぼしき人が点呼をとっている。「1番、2番、3番……」で、「15番いませんか？15番？」って言っていました。すると遠くの方から「はいはい、15番です」と言って走ってくる若者がいる。「次に遅刻したら代わりの人を呼ぶから」と担当者は言うんです。私はこの光景を見て、これはいかん、と思いました。人間が番号になっている。モノ化されている。もはや労働力ですらなく単なる消耗品の世界です。それが派遣労働の現実だと思いました。

菅間　ナチスの強制収容所も、名前を奪って番号で呼びました。刑務所もそうですね。たかが番号での点呼というなかれ。これは凄まじい人間性の剥奪です。部品化された「人間のジャストインタイム化」。

奥田　おっしゃる通り。つまり、人間に対して「誰でもいい。代わりはいる」っていう社会になってしまった。一方でこの間「誰でもいいから殺したかった」という事件が起きています。「誰でもいい」で殺されたらたまったもんじゃない。これに対して世間は「異常な、理解不能な若者たちの事件」と受け取ります。でも、この「誰でもいい」という言い方は、まさにこの社会が派遣労働に従事する若者たちに対して言い続けている言葉です。

●──答えは当事者と支援者の「間」にある

菅間 「誰でもいいから人を殺したかった」と言った人は、じつは、それまでずっと「誰でもいい」と言われ続けた人なんだ、と。

奥田 そうです。そこもまた、つながっている。こういう時代のなかで、私たちがどのような普遍的なものの見方をするか、それをどのように言葉化するのかということに心を砕いてきたように思います。さらに、そもそも言葉というものは、厳密な面と遊びの面というか、幅がある。そのものズバリを言い当てるのも重要ですが、ちょっとはずして言語化するということも大事です。そういう遊びや、あと、音も大事だと思うんです。

菅間 まったく同感です。激しく共感します。ぼくも言葉遊びが好きで、ずっとそう思っていました。で、いろんなところで言ったり、書いたりしてきた言葉が一つ二つあるんです。例えば、なぜ、ともに学ぶのか。その際に大切なことは何か。これに応える言葉として、「解なき会の快」。簡単に答えが出ない問いを前に、異なる他者が出会って、ああでもない、こうでもないと考える。それって面白いよって。音の点で言うと、自分で解説するのは野暮ですが、

「解なき会の快」は、頭韻を踏んでいます。一種のラップ遊びみたいなものです。「誰が必要か／何が必要か」「ハウスレス、ホームレス」とかね。

奥田　なるほど！　いいですね。いや、面白い。そう、符丁みたいなものって大事です。

菅間　やった！　奥田さんに褒められた。言葉の話、もうちょっと続けていいですか。湯浅誠さん（社会活動家）も、じつにいろんな言葉を編み出しました。「すべり台社会」「溜め」「五重の排除」「イス取りゲーム」……。「溜め」という言葉で、ぼくも自分の生徒対応や生徒の見方に少しだけ奥行きが広がったなと思っています。一方で湯浅さんは「支援者は、当事者を何をどこまで支援すべきか、何年やってもよくわからない」と書かれていた。「対人支援／援助」という点で、これは教師の仕事にも同じことが言える。ぼくもいつも迷い、苦しむところです。

ところが、奥田さんはここに言葉を与えているんです。ちょっと読みます。

「伴走型支援は、生活困窮者を生活の当事者と位置づけ、本人の自己決定権のもと多様なニーズと可能性を実現していく。ただし、これは『答えは当事者（のみ）が持っている』という単純な理解でもない。また当事者を重んじるということは、当事者のリクエストに伴走型支援のスタッフがただ機械的に応えるということでもない。もちろん支援の専門家が『答え』を持っているということでもない。『答え』は当事者と伴走型支援スタッフとの『間』にある」（『生活困窮者への伴走型支援』）。

今まで、支援や援助をめぐって「何をどこまでしていいかわからない」「答えなんてない」という言葉はよく目にしたんです。でも、「答えは間にある」と。これはすごいなと思いました。

奥田　それは、二十何年やってきているなかでの実感を言葉にしたものです。教師もそうだと思いますが、対人支援／援助の仕事が陥りやすい点があります。それは、「当事者のことは当事者が一番よく知っている」という思い込みです。「べてるの家」が取り組んだ「当事者主権／当事者研究」という発想は、私にとって参考になりました。上野千鶴子さんも「当事者主権」と言っています。でも、それは私の現場の感覚とはちょっとズレている。なぜか。当事者は「疎外」されているからです。

これまで専門家は、専門的知見ゆえに対象者のことを熟知していると思ってきました。それに対し「べてるの家」は、「私が私の専門家」という言葉で当事者が主体であると宣言しました。それは大切な指摘でした。専門家が支配すること、あるいはたとえ温情から出たことであったとしても、パターナリズム（温情的庇護主義）のなかに人を支配する。そんなことが続いてきました。だから、この「べてるの家」の主張には意味があった。

しかし、それでもなお違和感があった。本当にそうだろうか、と。私は、路上生活者支援をしていますが、出会った彼らについて、本人の思いを中心にしながら支援を進めていきます。それは当然ですが「あなたは何がしたいんですか」「私は○○がしたい」「じゃあ○○しましょう」という単純なものではありません。これは出会いとは言えない。それじゃあ自動販売機と同じなんです。

菅間　当事者主権と自己選択・自己責任主義が非常に親和的である、と。自戒も込めて言えば、これが当事者の「自由」を尊重する、ということなのか、これが本人／自己を尊重するということなのか、ということですね。ぼくも同じように違和感をもってきました。

奥田　今、おっしゃられた通りのことを私も感じてきました。当事者主権とは、形を変えた自己責任論にもなりかねない。困窮者は、経済的困窮のみならず、社会的に孤立している。それは他者性を失った状態です。人間は、「他者性」「対話的関係」のなかで自己を見出すわけです。極端な言い方ですが、当事者が「俺、もう死にたい。自殺する」って言ったら、私らスタッフが「じゃ、これでどうぞ」って言ってロープを貸すか、と。そうはならない。

では、どういう言葉で対話するか。そんな時点では「なぜ自殺はいけないか」「命はどれほど大切か」なんて説いても無意味です。「死にたい」という人に、唯一対抗できる言葉は、こちら側――すなわち「私個人としての主体的な言葉」でしかない。「あなたは死にたいという。私もこの世界が生きるに値するか、命が本当に大切かどうか、それはよくわからない。でも、一つだけはっきり言えることがある。私はあなたに死んでほしくない。あなたが死んだら私が困る」。この「死にたい」と「死んでほしくない」のせめぎ合いが現場です。もっと言えばケンカです。それがまさに「答えは間にある」ということだと思います。

菅間　「答えは間にある」という言葉が与えられたからと言って、生徒や保護者との距離や関係性について、すべてモヤが晴れるわけではない。でも、その言葉で少し世界の見え方が変わるんです。
関連しているかどうかわかりませんが、ぼくは大学時代、ほんのちょっぴり教育学を学びました。そのほとんどはもう忘れてしまったんですけれど、ペスタロッチというスイスの教育学者がこういう言葉を遺しているらしいんです。「教師と子どもの関係は、水と水車の関係に似ている。遠すぎても近すぎても水車は回らない」。ぼくのなかでは、遠い昔の、遠い国の教育学者の言葉と奥田さんの言葉がつながりました。

奥田 いい言葉ですね、それは。その距離を知るまでに相当に傷ついたり、失敗したりするんだけど、それは必要な営みなのだと思うんです。専門家支配と当事者主権の間の細い道を往く、ということなんでしょうね。

●私の意見を、私の言葉で主張する

菅間 さて、ちょっと話題を変えたいと思います。せっかく奥田さんにいらしていただいたので、やはり息子さん、愛基(あき)さんのこと、あるいは愛基さんがメンバーとして活動しているSEALDs(シールズ)(自由と民主主義に対する学生緊急行動)のことについて、少しお話を伺いたい。SEALDsは、2014年のSASPL(サスプル)(特定秘密保護法に反対する学生有志の会)の活動から発展的に改組され、5月3日の立ちあげを経て、今、全国にその輪が広がっています。[3]

奥田　憲法、立憲主義、民主主義ということに焦点をあてたというのがすごいですよね。でも時には息子と激論になったりするんですよ。例えば、立憲主義。「立憲主義を守れば戦争をしてもよいの？」とかね。すると愛基は言います。「本来の立憲主義なら、そうはならない。なぜなら、それは民主主義が下支えするからだ」と。で、私は「果たしてそうか。きちんと国民国家論をやったほうがいいんじゃないか」と応える。こんなことを明け方までやっていたりします（笑）。

菅間　熱い親子ですね。「白熱親子／白熱家庭」だ（笑）。

奥田　一方で、私はＳＥＡＬＤｓの運動にすごく教えられたことがあります。それは「私（わたし）」という一人称で語ったことです。ＳＥＡＬＤｓの2回目のデモのアピールの記録で、愛基はこう言っているんです。

「つくられた言葉ではなく、刷り込まれた意味でもなく、他人の声ではない、私の意見を私の言葉で、私の声で主張することこそ、意味があると思っています。私は、私の自由と権利を守るために意思表示をすることを恥じません」と。私たちの世代は、「我々は」とか、「労働者階級は」とか、「人民は」……。それに比べると彼らは「一人称スタイル」。いい意味でエゴイスティックです。そこには「俺は嫌だ」と言う主体の強さがある。先ほどの現場の言葉のぶつかり合い、「死にたい」「死んじゃ嫌だ」と同じです。私は、そこにＳＥＡＬＤｓの本質を見ています。組織ありきではなく、「私」の集合体として動いている。一人ひとりが「私」を語っているわけです。戦後史のなかでの大きな転機のような気がします。この運動は、今後「戦争法案」反対ということでなく、日常のなかでいかに主体を取り戻すかという文化運動に発展していくように思います。

菅間　ぼくが、SEALDsの活動で、国会正門前ではじめて愛基さんのスピーチを聞いたのは、6月19日でした。その日は、「報道ステーション」が彼らの行動をかなり取り上げたんですよね。もちろん、この次の愛基さんのスピーチはオンエアされませんでしたが。愛基さんはこう言った。

「(報道ステーションの) 古舘さんが、秘密保護法が通った時、〝これで民主主義は終わった〟ってコメントしたんです。冗談じゃない。民主主義は終わらせてはならない。終わりじゃない、むしろ、いま始まったんだ!」と。また別の日は「戦後を、70年ではなく、戦後100年にして、平和の鐘を鳴らしたいんです!」とか。内容、語り、リズム、トーンが一体となった、素晴らしいスピーチでした。唸りました。彼に、そういうスピーカーとしての片鱗があったのか、はたまたどこかでそういうスキルを磨いたのか。

奥田　さあ……、それは本人に聞いてもらわないと、よくわかりません。ただ、不登校時代、あるいは八重山の孤島・鳩間島にいた時代、また高校時代、いろんなことをずっと考えてきたとは思うんですよね。先日も、東京新聞の取材を受けて、「あの愛基君の活動は、お父さんのホームレス支援をずっと見ていたことの影響があるんですか」と聞かれました。けど、これは彼の名誉のためにも言いますが、正直なところあれは、彼がひとり考えて至った地平だと思います。先日の国会の公聴会の証言の最後のところで「どうか、政治家の先生達も個人でいてください。孤独に思考し、判断し、行動してください」と彼は言うのですが、あれはすごいと思いました。あれは、格好をつけて言ったのではない。彼は、中学時代いじめが原因で、ひとり鳩間島で一年以上暮らしています。その時、まさに彼はひとり孤独に思考したのだと思います。あれは、彼自身の人生から生み出された言葉です。

「私」ということに起点を置くことは、必然的に「他者」の問題へと向かうと思いますし、そうならねばただのエゴです。そもそも「私」を知るためには「他者」と出会わなければいけない。まさに「ひとりであること」と「ともに生きること」は一つの事柄だからです。彼はキリスト教愛真高校の出身です。だから、「戦争責任問題」など、特にアジアの他者の問題に真剣に向き合ってきています。彼自身、他者性については、十分理解していると思いますが、それが今後どのような形になるか楽しみです。

菅間　この記事ですよね（「原点は　元戦犯との出会い　安保法制反対　声あげる大学生」朝日新聞２０１５年７月13日夕刊）。ニューギニア戦線で住民らを殺害した罪に問われた元ＢＣ級戦犯の方と対話を重ねてこられた、と。高校時代から、かなり濃厚に戦争について向き合って、学んでこられたんですね。

●──「子どもを守れ!」ではなく「俺が子どもを守る!」

奥田　あとね……。これは少々揚げ足とりみたいになるけれど、彼らのデモのコールで「戦争するな!　子どもを守れ!」と言うでしょう。まったくその通りですが、しかしあれを聞いていると「コールするお前がやれ!」と言いたくなる。戦争を推し進めるのは与党だけれど、そんな連中に「子どもを守れ」と言ってもなあ、と。ＳＥＡＬＤｓの若者たちが、卒業後、今後どこで、誰と出会い、何を担うのかが楽しみです。

反原発デモも、今回も何十万人もが国会を取り囲みました。世論も動いた。しかし、内閣支持率はさほど落ちない。現在も40パーセントを超えている。これはどういうことか。憲法や民主主義の議論が盛り上がる一方で、日常生活の部分ではあまり変化がないというか、ピンと来ていない。なんだか上部構造と下部構造が乖離しているような感じがします。そこを生活や暮らし、あるいは日常においてどう跳ね返すか。それがＳＥＡＬＤｓからもらった宿題のように感じています。

米国がなぜあれだけ戦争ができるか。戦争と貧困がセットだからです。今後、日本においても同じようなことが起こるかもしれません。

日本の子どもの貧困率は、16・3パーセント。子どもの6人に1人は貧困です[4]。一人親の場合は、半数が貧困。大学生の半数は奨学金を借り、卒業時点で借金を抱えています。国会ではる。

「徴兵制」が議論されましたが、私はないと思います。そんなことをしなくても戦争は遂行できるからです。アメリカは、１９７３年に徴兵制を止めています。でも、戦争をし続けている。

若者を貧困に追い込み、戦場に向かわせる。まさに「経済的徴兵制」です。さらに、ここに「承認欲求」の問題が加わる。若者は、貧困の上に、自分の存在意義がわからない状態に置かれることになる。そもそも貧困が社会参加を阻害し、他者性を喪失させ、結果、自己喪失状態になる。そんな時、「君こそが日本を救える。世界を救えるのだ」と国家に意味づけされると戦場に向かうことになる。戦争を可能にするのは、「貧しさと寂しさ」です。戦争をする国の土台は着々とつくられていると思います。となると「子どもを守れ！」というコールに対して「俺がやる」と言う人が何人現れるかが勝負です。そのためにＳＥＡＬＤｓの若者たちにＮＰＯ法人抱樸で働いてもらいたいと思います。

若者に言いたい。「国家なんかに頼らなくても、生きていける。あなたの存在価値はある」と。そういう日常をつくるのが、次の闘いのステージになると思います。

菅間　奥田さんの著作には、何度となく「対個人、対社会の両方の支援を」という記述が出てきます。その二つは決して対立的ではない。あと、メディアや中高年世代が、ＳＥＡＬＤｓを過度に称揚したり、逆に冷笑・揶揄したりするのも違うぞ、って。

奥田　マスコミの宿命です。ＳＥＡＬＤｓは、戦略的にマスコミを使っています。でも、危険も大きいでしょうね。友人の湯浅誠さんも、かつて時代の寵児となりました。今、彼は、次の活動に向けてのエネルギーをため込んでいるんじゃないかな。

菅間　お二人は、おつきあいは長いんですか？

奥田　リーマンショックあたりからでしょうか。パーソナルサポートサービスという国のパイロット事業を彼が進めてくれていた頃からです。彼からは、いろいろ教わりました。また、支援のあり方を巡ってかなり議論もしました。ただ私は、反貧困ネットには入りませんでした。権利は大事です。法的権利は守られないといけない。その点で反貧困の運動の功績は大きい。現に生活保護の運用は大きく変わりました。でも、「それで幸せになるの？」という問いがありました。

私は、既存の制度は縦割りだけれど、それを伴走的にコーディネートしてくれる人がいればなんとかなると思い、伴走型支援ということを考えていました。簡単に言うと「一緒にいてくれる人」ということでしょうか。２０００年の西鉄バスジャック事件のとき、加害者の母親が「いろいろ言ってくれた人はいたけど、一緒に動いてくれる人は誰ひとりいなかった」と言いました。これはショックでした。ともかく、一緒に動く人が必要だということは、今も活動の原点になっています。現在の社会は、不安定な社会です。雇用の4割が非正規、つまり不安定雇用です。だから、いったん問題解決しても、第二の危機、第三の危機が訪れる。そうなると、問題解決だけが支援ではなく、伴走という関係そのものが支援となります。すなわち、いつでも助けてと言える社会であるかどうかです。

助ける側、助けられる側の固定化を超えて

菅間　最後に、本誌の読者の多くは教員であるということもあるので、奥田さんからメッセージをお願いできますか。

奥田　私は、学校の使命や役割はますます高まると思います。子ども・青年たちにどういう向き合い方をするか。これは大きな問題です。教師は、長時間その子と一緒に居ることができます。ある面、親以上です。もちろん、教授技術なども大事でしょうが、それよりも「ともに生きる／一緒に動く」ことの価値に気づき、それを活用できるかが勝負だと思います。この点で学校の持っているキャパシティは存外大きい。この点で先生方にとても期待しています。子どもの貧困以上に子どものホームレス化（孤立・無縁化）が進んでいるように思います。学校が関係の場となるか、あるいは、関係を学び、つくる場となるかが問われています。

ＮＰＯ法人抱樸も、２０１２年から集合型学習支援や訪問型学習支援を実施しています。特に訪問型では、その家庭そのものの問題を包括的にとらえ、関わります。いわば世帯支援のなかに学習支援を位置づけています。来年には、自立準備ホームをつくろうと思っています。できれば若者だけでなく、元ホームレスのおじさんとか、バックパッカー向けのホテルなどを併

設し、共生型の出会いの場所にしたいと思っています[5]。それは、「一方的に若者を助けてやるぞ」ではなく、若者が同時に、野宿のおじさんたちを助ける――「総合化・相互化」、つまり社会化することが重要です。

菅間　ケアし、ケアされ、助け、助けられるという場をつくられる、と。

奥田　そうです。助ける側と助けられる側の固定化はダメです。最初は、大事にされていると感謝できますが、助けられる側は常に「すみません」って謝らせられる。助けているほうもいずれ疲れます。それを超える仕組みをつくろうと思います。

翻って、学校は学習支援が第一の使命。一方、先生方は、多くの現実を毎日見ておられる。学校をさらに社会化し、子どもの生活や世帯、さらに地域づくりなどに総合的に取り組む砦になればいいと思います。それこそが私は学校の「本務」だと考えます。だが、それは学校がすべてを担うということを意味しません。いろんな機関、NPOなどにつないでくれればいい。私自身、学校に講演で呼ばれることはあっても、NPOとして、個別支援ケース担当として学校に呼ばれることはほとんどない。

最後に、私がもっとも言いたいことは、「先生、つらいやろなあ」ということです。牧師もそうですが、「助けて」って言えない人が多いのではないか。教師、牧師と「師」とつく人は「自分が助けなきゃいけない」と思っている。それを「やらんでいい」とは言えない。ただ、生徒たちに「〝助けて〟って言っていいんだよ」って言っている先生は、果たして「助けて」

って言えているか。この矛盾は、生徒から見たら、「俺たちはいつも助けられる対象かよ」となるかもしれません。「助けられる経験」は、自尊感情を生み、「助ける経験」は、自己有用性を生む。この両者が生徒にも先生にも必要です。

私は、最近、新学期が来るのが怖いです。学期のはじめ、子どもたちが「助けて」とも言わずいのちを断ったというニュースが流れるからです。子どもは助けてと言っていいじゃないですか。子どもは、嫌なら逃げればいい。でも言わない。なぜでしょう。それは大人が言わないからです。その大人の筆頭が——厳しい言い方になるかもしれないけど——先生です。子どもには、誰の力も借りないでひとり生きていくのが立派な大人だと映っているのかもしれませんよ。でも、それではダメです。

まず、先生が「助けて」と言うこと。そう言える職場をつくることが重要です。教師の研修に呼ばれた際、「ここ数年で、真顔で、本気で誰かに〝助けて〟って言ったことありますか?」って聞きます。それを一切言わない人が、子どもたちに「なぜ助けてと言わないんだ」と言っても、それはおかしい。本当にカッコいい大人、カッコいい教師は「助けて」って言える人だということを見せることが重要です。現在の不安定な社会においては、「助けて」って言えるようになることが最大の教育なのかもしれません。

菅間　奥田さん自身が、息子さんのことなどをめぐって「助けて」と言えなかった、とありますね(『「助けて」と言おう——3・11後を生きる』)。息を吸ったり吐いたりすることができなくなって倒れられて、３週間ほど入院された、と。この記述も衝撃的でした。

奥田　そう。私なんてホント、ボロボロでしたから。あのとき、誰かに助けてもらえなかったら、私も息子も今、この世にいなかったかもしれない。

菅間　できれば、今日は、他にもいろんなこと、例えば奥田さんが何度も著作でふれられている林竹二のこと、エリ・ヴィーゼルのこと、宗教のことなどをもっと伺いたかったんですが……。ぜひ、続きをやりたいです。

奥田　いつでも九州に遊びに来てください。教会に泊まれますから。歓迎しますよ。

菅間　とっても素敵な教会が新しくできたんですよね。いつかうかがいます。今日は長時間、本当にありがとうございました。

［注］

（1）２０２０年４月現在、３５００人。

（2）２０２０年４月現在、10年が経過した。

（3）ＳＥＡＬＤｓは、２０１６年に活動を解散した。

（4）２０２０年４月時点での子どもの貧困率は13・９％。子どもの７人に１人が貧困である。

（5）２０１７年、自立準備ホームではないが、「誰でも入れるケア付き住宅」という制度外の居住支援を開始。児童養護施設出身の若者も利用している。

落合恵子さんに聞く

それぞれが「わたし」を生きることを、互いに支え合う

——誰もが深呼吸できる社会を

おちあい・けいこ

1945年、栃木県生まれ。作家。子どもの本の専門店「クレヨンハウス」と女性の本の専門店「ミズ・クレヨンハウス」を東京・大阪で主宰。主な著書に『てんつく怒髪 3・11、それからの日々』(岩波書店)、『自分を抱きしめてあげたい日に』『おとなの始末』(以上、集英社新書)、『泣きかたをわすれていた』(河出書房新社)、など多数。

初秋、落合さん主宰の「クレヨンハウス」でのインタビュー。穏やかな午後の日差し、美味しい食事、そして落合さんとのやりとり、何もかもがごキゲンだった。話題の一つは、記憶にまつわること、その記憶が褪せていってしまうことであったが、普段はほとんど話すことのない、私の母の認知症のことも、落合さんの前だとふっと口をついて出てしまうのであった。このインタビューから4年経った。私の母は、認知症のための特養ホームにお世話になって2年余。落合さんは、今も変わらず、「ノーの権利を磨こう!」と歩み(マーチ)を続けておられる。その背中を遥か前方に眺めながら、私なりに落合さんの後に続きたい、そう希っている。

(2016年9月17日　インタビュー)

●――「さようなら原発集会」から5年

菅間　今日はちょっと懐かしい記事を持ってきました（朝日新聞２０１１年10月20日付）。「ノーの権利を磨こう」と題して、６万人が集まった２０１１年９月19日の「さようなら原発集会」の時のエピソードを落合さんが新聞に語られたものです。その文章はこう始まります。
「『これ、将来の教科書に載るかな』。ある女子高生が９月19日の脱原発ウオークの最中、先生にこう尋ねました。彼女は保護者や教師と共に参加していました。先生は教え子の問いかけに『載るかどうかはわからない。でも、私たちが信じている民主主義の教科書には、絶対に太字で記されるよ』と答えたそうです。今回、最も印象深かった話です」。
　この「先生」はぼくで、「女子高生」は、当時教えていた自由の森学園の高校１年生・Ｋ子でした。落合さん、覚えていらっしゃいますか？

落合　わっ！　取っておいてくださったの。ありがとうございます。もちろん、覚えています。私、このエピソードにとても感動したのですから！　菅間さん、カッコいいこと言うなって（笑）。

菅間　何度もそうおっしゃってくださいました。３・11東日本大震災のこの年、ぼくは、11月に行われる本学園の公開研究会記念講演を落合さんに依頼しました。ただ、超多忙な落合さんの日程が合わず、実現には至らなかった。けれども、うれしい副産物があって、折々に落合さんとメールできる幸福に預かることができた。そして、9・19集会では、ぼくもK子もステージでスピーチをされる落合さんを遠目に見ていましたし、彼女との言葉のやりとりがとても印象に残るものだったので、どうしても落合さんにお伝えしたかった。そして、メールを送ると、落合さんは「今までの疲れが全部吹き飛んだ！　伝えてくれてありがとう。その生徒さんにもよろしく！」って返信をくださった。それはぼくもすごくうれしかったです。そして、翌年には念願の落合さんの講演は実現し、「女子高生」との対話の場も実現しました。あれから4年が経ちました。

落合　若い人たちっていいなあって思ったし、彼女たちの思いを丸ごと受け止めてくれる大人が、この場合は教師ですが、おられることもとてもうれしかったです。

菅間　今日お伺いしたいことはたくさんあります。3・11以降の日本社会のありよう、それに対する社会的な様々なアクション。今年で40周年を迎えられたクレヨンハウスのこと、それから、落合さんが最近立ち上げられたファッションブランドのことも。今、手元にその新ブランドのカタログがありますが、モデルさんがすごい！　澤地久枝さん、木内みどりさん、渡辺一枝さん、そしてＳＥＡＬＤｓの谷こころさんなど、みなさん、向かい風に、口笛を吹きながら立ち向かわれている方々です。

　でも、あれこれ伺うと話がとっちらかるので、落合さんとお母さまのことを中心にお話を伺えればと思います。

落合　何でも聞いてください。そして、どんなことでもお伝えください。

差別される側からの反差別を

菅間　まずは、落合さんとお母さまとのやりとりで、とても大好きな――大好きという表現がいいかどうかわかりませんが――エピソードを2つあげたいんです。まず一つめ。落合さんが子どもの頃「お母さん、掃除の仕事を辞めて」とお母さまに言ったという話。これは、『崖っぷちに立つあなたへ』のなかの「母の仕事」や、『「わたし」は「わたし」になっていく』のなかの「差別意識」で紹介されているエピソードです。今の言い方で言えば、ダブルワーク、トリプルワークという言い方になるのでしょう。お母さまが昼間の会社勤め、経理のお仕事に加えて、いくつかの仕事を並行してかけ持ちされていた。その一つが、夜中の雑居ビルの掃除のお仕事だった。その仕事をやめてほしい、と落合さんがお母さまに言われた話です。それに応答するお母さまがすごかった。

落合　母はシングルマザーで、子どもの私を連れ、郷里を追われるように出奔して上京をした。生まれつき「父親のいない子」というレッテルのもとで、私が萎縮しないようにと思ってのことでしょう。そして菅間さんがおっしゃるように、いくつもの仕事をかけ持ちして、暮らしを支えてくれていました。私が小学校2、3年くらいのときのことだったと思います。当時、そもそも仕事をしている母親というのが少なかったのですが、私は、会社勤めをしている母親は受け入れていました。けれど、友だちに清掃を職業としている母を見られるのがいやだったんですね、無意識の職業差別ですよね。それは、私のなかに職業に対する差別意識が無自覚であろうともすでに芽生えていたあかしです。

母は、私を彼女が掃除を請け負っている雑居ビルに連れていき、働く自分の姿を私に見せました。私は、母の傍らですることもなく、ただただずっと母が掃除をする姿を見ているしかなかった。そうして、掃除を終えたあと、母はその雑居ビルの玄関で「この仕事のどこが恥ずかしいか、自分の言葉で言ってごらんなさい」と言いました。難しいことはわかりません。でも、何より自分が恥ずかしいことを言ってしまったということだけは心に痛かった。差別って恥ずかしいことなんだ、そのことを身をもって体験したこの出来事は、私にとってとても大きかった。「差別はしない」、そう自分に約束した日でもあったのでしょう。

話しながら思い出してきたけど、この日のことは、本当によく覚えていて、夜、空は晴れわたっているのに水仕事をするということもあって長靴を履かされた。そして母と二人で出かけられるから、うれしかったんですけれど、この夜、母は手をつなぎませんでした。私は、母の後ろをついていきました。

菅間　その「手をつながなかった」という部分は初めて聞きました。きっと、落合さんは、その日の長靴の履き心地の悪さや重さを、まだ覚えておられるのではないですか。

落合　ええ、そうなんです。長靴ってもともと重いんだけど、いつもよりもっと重かった。自分が言ってしまったこと、やってしまったこと、そういうことに対する、どうしようもない重たさがあったと思います。

菅間　そしてもう一つ。15歳の時、お母さまに聞いた2つの言葉がご自身を支えている、という話です。お母さまに、「なぜ私を産んだの?」と聞いた時、お母さまはこう答えられた。「あなたが生まれてくるのを心待ちにしていた。生まれてきてくれてよかった」と。併せて「差別をされる、ということを受け止めて、差別のない社会をつくってほしいと言われた」と。

落合　差別はなくすべきものだけれど、残念ながら「ここに在る」。そして、あなたは差別される側に生まれてきたのだから、その差別をちゃんと自分の身で感じて、差別をなくしていくために自分は何ができるのかを考えてほしい。される側であるという屈辱、悔しさ、悲しさというのはちゃんと学んだ時、他の人の痛みに対しても敏感になれる。それから、この社会にはこんな差別がある、といろいろ話してくれました。「される側」にいる人たちと、つながっていけるような生き方をとも言っていました。

菅間　自由の森での講演では、そのあたりを、こんなふうに語られました。続けてお母さまの言葉です。「あなたはあなたの人生を自由に生きていい。でも、こういうふうに生きてほしいという願いはある。あなたは非嫡出子と呼ばれて、この国では差別される側になる。そのことを大事にしてほしい。この国、この社会にあるいろいろな差別を受けている人たちと、それぞれのテーマで柔らかにつながって、きつく締まった蓋が少しでも空いたらそれでいいじゃない。それであなたの人生は成功よ。それ以外、お母さんはあなたに何も望まない。それで五重丸よ。一回だけ言わせてもらえば、それが私の希望」と言われたと。

落合 ある時、母は同じようなことを私に言ったことがありました。それは、婚外子差別の記載について、国を相手にたたかっていた裁判、原告側の証人として、私が出かけて行く日でした。当時母は、神経症が悪化して、自分の部屋から一歩も外に出られない状態でした。が、証言することは母のプライバシーにも関わることなので、過不足なく伝えないといけないと思いました。私は証人になることをあきらめない、ただそれは、母が大事にしてきた彼女自身の人生を裁判を通して公にすることであり、母の神経症の原因の、ある部分をえぐることになってしまうのではないかと不安でもありました。が、母は私が証言することに反対しませんでした。

頷いた後に、母は言いました。「自分が今一番気に入っている洋服を着て行きなさい」って。高いものじゃなくても、上等のものじゃなくても、一番自分が気に入っているもので行きなさいというのがいいでしょ？　だから私は、白と黒のストライプのジャケットに黒いパンツで行きました。あの頃母は、ずーっと家で寝ている状態だったのですが、その日だけは玄関まで見送りに来てくれて、「いってらっしゃい」って言ってくれました。

●―母の光と影

菅間　落合さんの自伝的小説『あなたの庭では遊ばない』をはじめ、「落合恵子史」という格好でまとまっている近著の一つとして、先ほどあげた『「わたし」は「わたし」になっていく』がありますが、この本やその他いくつかの本で、お母さまのご病気について記されています。本の表現をそのまま借りると、長年悩まされ続けたのが強迫神経症、不潔恐怖症、そして晩年には、パーキンソン病、脳梗塞の他に、アルツハイマー病なども患われておられたとのこと。そのお母さまの心の病は、ずっと落合さんの生育史とそのまま重なるのでしょうか。あるいは間欠的に症状が色濃く出られたのかどうか。

落合　だいたい、重なります。私が小学生の時に最初の神経科への入院があって……。でも母は働かざるを得なかったし、誰にも頼りたくないという人でした。四畳半か三畳ひとまでです。会社から帰ると、アパートの一室でお花、そしてお琴を教えていました。あんな狭い部屋にどうやって人が入ったんだろうと思いますが。夜になれば、さっきお話をした清掃の仕事も控えていました。張りつめた糸はどこかで緩めるか、ぷつんと切れるしかないのでしょう。母にとってそれが神経症という症状の時空だったかもしれませんが、通常は明るくて音楽好きで優しい人でした。知らない人からは「あの人、苦労を知らない人ねえ」などと言われていました。見えないところでは大きなストレスを抱えていて、それらが病と関係していたんだろうと思います。

誰でもそうだと思いますが、すごく光輝く部分と、影の部分が彼女のなかには同居していました。光が強い分、影の部分も濃かったのだと思います。私が中学校に進学するとき、母と子の家庭だったので経済的に私立に行けるはずはなかったのに、母は私を私立の女子校に入れました。公立の学校は戸籍を提出しなければならなかったから。私は友人と別れたくなかったし、なぜこんな制服を着なければいけないの？　と思っていました。その頃、母の症状はまた悪化したようです。あとでわかったことですが、その私立校は、私のような出自の子が多かったようです。出生に関わることをチェックされない学校を、母は東京中を駆け回って探してきたのだ、と叔母たちからあとになって聞きました。

菅間　ぼくは心の病についてまったく何の知識もありませんが、お母さまの病が悪化される時、あるいは色濃く出る時というのは、やはり社会的な差別・困難と鋭く対峙する場面だったということでしょうか。

落合　それは確かだろうと思います。進学して、この子に何かあったらどうしようとか、私立に入れたけれども、経済的に大丈夫だろうかとか、いろんな不安が一気に押し寄せてきたのでしょう。不当なことではありますが、進学とか就職といったある節目で、この娘を非嫡出子にしたからこういうことが起きるのではないか、という自責の念にもとらわれていたのでしょう。母は、自分がいろいろなことを被るのは、自身が選択した結果だからいい。けれど、娘は選択してそうなったわけではない。だから娘が不利益を被るのは理不尽だ。そんな思いのなかをぐるぐる回っていたのかもしれない。そんなとらわれなんて、ナンセンスと言い切ればいい。だけど、人は時にとても弱くなる。特に、自分に最も大事な存在が、自分が選択した結果、社会的には負の結果を背負わなくてはならないという時は。そんなことにおぼろげながら理解が及ぶようになったのは、高校生の頃のことです。

菅間　落合さんの多くの著作のなかにこういうフレーズが出てきます。「生まれる前までのことは、私は責任が取れない。私が責任を取れるのは私が生まれてからのことだ」と。この言葉はお母さまにお伝えになったんですか。

落合　そう、ずっとそう思ってきました。あー、でもこのことは伝えたかなあ。はっきりは覚えていないな。どうだったんだろう。

菅間　お母さまがその言葉を聞いたら、とても喜ばれたと思うんです。

落合　そうですね。最も母に伝えたかったことを、過不足なく伝えなかったような……。

『母に歌う子守唄』余話

菅間　幼少期、思春期の頃の話からだいぶ時間は経過しますが、落合さんは、超多忙な仕事と並行して、認知症を患われたお母さまの介護を7年続けられます。その日々のスケッチが、

『母に歌う子守唄──わたしの介護日誌』と、その続編という2冊の本で記されます。書くことが、ご自身のセラピーになっていたとも書かれていますね。

実は、私ごとなんですが、ぼくの母親も認知症で、いよいよ施設への入所を考える段階になりました。要介護度は3で、月曜日から土曜日までデイサービスにお世話になっています。もう、ぼくのことも認識できません。母は、落合さんの一つ歳上で１９４４年生まれ。落合さんはご自身の母親を「学歴はないけど、教養はあった」と書いておられますが、ぼくの母も同じでした。明るく元気で、判断力・行動力がある人でした。また、落合さんと同じように、正義感、人の弱さへの共感、そしてそれを踏みにじるものへの怒りを強く持っている人でもありました。「弱きを助け、強きを挫く」を地でいく人で、いつも、世のため人のために走りまわる、という日々でした。ぼくのなかで勝手に、ぼくの母と、落合さんと、落合さんのお母さまを重ねて見てしまっています。

落合　そうですか。70代はじめでいらっしゃるのに。現在、要介護3というのは、かつての4あるいは5に近いかもしれませんね。以前より軽度に認定されてしまいがちですから。つらいね。

菅間　ぼくは母が認知症になる前に、『母に歌う子守唄』は読んでいたんです。でも、どっちかというと、落合さん大変だなあ、こんな過酷な介護を続けられて大丈夫なんだろうか、という感じで、細かいところ、お母さまが要介護5だったりとか、そういうところはほとんど印象に残っていませんでした。今回、母が認知症になって以降の再読だったんですが、ディテールにとても目がいきました。それまで、やっぱりどこか「他人ごと」だった。母は、発症してから8年くらい経っているんですが、ぼくの親父が、本当に献身的にケアしてくれています。感謝と尊敬の念でいっぱいです。母はまだ若いせいもあるけど、足腰は元気なんですね。で、親父曰く一番困っているのが「帰宅願望」。時間も場所も所構わず、「帰りたい、帰りたい」って言うんですよね。不思議なんですが、どこかへ、母なりの「ホーム」へ帰りたいっていうことなんでしょう。荷物をまとめて、自宅を出て、どんどん歩いていく。親父はそれに付き添っていく。

そして、これも一度めの時は読み飛ばしていたと思うんですが、続編の『母に歌う子守唄 その後』の終わりのほうに、超人的なスケジュールをこなしながら、じつは落合さんは、7年のうち4年は、お二人同時に介護されていた、とあります。その方は、長年、落合さんのスケジュール調整をやってくれていた遠縁の女性だそうですが。

落合 そのことをテーマにしなかったのは、二人同時にやっていて大変、というふうにだけとらえられるのは抵抗があったからです。「だから、あなたも頑張りなさい！」といったふうに読まれかねない。家のなかの女性を介護要員とする傾向にも反対でしたし。でもね、ここ、真ん中が私の部屋で（指さしをしながら）、その両側に母と彼女がいて……。今思えば、小規模のグループホームみたいな感じを自宅でやってたかな（笑）。あと一人くらい平気だったかなって。母はどんどん認知症が進んでいったけれど、彼女には、認知症はまったくなかったのね。それに、周りの多くの方々のサポートも受けたし、当初、彼女が母の話し相手をしてくれた時期もあった。彼女はシングルで子どもがいないことをとても気にしていたから、「血縁なんて関係ない、結縁（ゆいえん）の家族だっているんだ」って言ったり書いていた私が引き受けようという思いもありました。

菅間　今回、文章を再読させていただいて思いましたが、やはりその介護・ケアは超人的です。なぜ、そこまでやるのか、どうしてそこまで頑張れたのでしょうか。

落合　介護のために仕事をやめてしまったら、今度は私が精神的にも落ち着かなくなるだろう。それと、「お母さんのために仕事をやめたのよ」という言い方は母を傷つけることになる。もちろん、収入の確保のこともあるけれど、母自身、自分の仕事をしっかり確立したくて、ずっと踏ん張ってきた人でしたから。その彼女の介護のために「仕事をやめました」ということはしたくなかった。仕事を続けることで、私の精神状態と介護とのバランスをとろうとしていたことも事実です。仕事は少し縮小して、なんとかやりくりしようと、介護が始まった時から決めていました。

ただ、あの『母に歌う子守唄』のなかにもいくつか嘘があるんです。介護保険が始まって、要介護5になって、私費はこれくらいの持ち出しがあったって書いてあるんだけど、本当の額は書けなかった。介護保険では到底賄えないものでした。

母はやがて来るであろう自分の老いの日々のために、ささやかな蓄えを持っていて、「それを使って」と言っていたのでその通りにしましたが、およそ7年の介護のなか、私費の負担は驚くほどの額になって、通常の会社員などはどうするのだろう、「この国はお年寄りを捨てようとしている」と本当に悔しかったし腹立たしかった。もちろん一方で、母との濃密な時間を過ごすことができたことは、幸せでしたが。しかし、お金がないと、望む十分なケアができない事実もある。現在はどんどんそうなっています。

●——改悪続く介護政策

菅間　おっしゃる通り、いま介護をめぐる状況は、本当にこれ以上後がない、待ったなしのところまで来ていると思います。

先日の『NHKスペシャル　私は家族を殺した——介護殺人』(2016年7月3日放映)も、なかなか正視するのが困難な内容でした。曰く「いま日本では、2週間に1件、介護殺人が起きている」「相手を手にかけたい、一緒に死にたいと思った人は4人に1人」「介護殺人の4分の3は、介護サービスを利用していた」また、施設サービスが足りず、特別養護老人ホームは52万人が待機している。必然的に劣悪条件の無届介護ハウスが増えている。

2000年に、介護保険制度が導入され、措置制度から契約制度に変わりました。これは議論のあるところでしょう。ただ、一つはっきり言えることは、介護保険導入から一貫して、負担は重くなり、給付・サービスは削減されてきている、ということです。２００６年には「要支援１・２」がつくられ「介護予防」の名の下に要介護１の大半を要支援にして、使えるサービス量を減らす。さらに、直近では２０１５年、介護保険実施が改定され、要支援１、２の訪問介護、通所介護を保険から外して、自治体事業に移管したり、年金収入２８０万円以上が２割負担になったり、特別養護老人ホーム入所を要介護３以上にするなど「制度改悪」が矢継ぎ早に進められています。

でも、正直に言って、ぼくもよくわからなかった。いや、母が認知症になって、ある意味、当事者性が強くなった今でさえ、仕組みも、何が進行しているのかということも、よくわからない部分がたくさんあります。

落合　私もそうでした。介護保険で何が利用できるかという基本的なことがわかったのは、介護が始まってかなり経ってからです。というのも、目の前の母の状態に追いつくのがやっとなんです。時間的にも心理的にも。血圧が下がったとか、頻脈になったとか、右往左往で毎日が過ぎていきました。母の時は、介護保険のスタート当初だったので、ケアマネージャーさんもよくわからないということが多かった。個々の人のニーズより制度が先行して、制度に人が合わせていくしかない。今だって同じことが起きているはずですし、さらにひどくなっているのではないでしょうか。介護保険についての基礎の情報や、その活用法が行き渡らず、頑張りすぎて疲れ切ってしまう、という状況はあります。

菅間　政府は、今後さらに、要介護1、2の通所介護や訪問介護の生活援助、福祉用具レンタルを保険給付から外す、原則自己負担＝10割負担にすることや、74歳までの2割負担など、一層の給付抑制と負担増を検討し、来年の通常国会への法案提出を企図しているとのことです。

一方でこの国のリーダーは、ドヤ顔で「介護離職ゼロ」をのたまう。どの口が言うって感じです。あらゆる政策で言えることですが、言っていることと、実際に行われることとの乖離が甚だしいです。

落合　おっしゃるとおり、本当にひどい話です。

菅間　しかし同時に、「では、いつまで、どこまで膨らんでいく福祉予算をどうするんだ！　予算は限られているんだから、自立・自助原則を導入しなかったら、制度は破綻してしまうだろ！」という受け止めも、この厳しい時代だからこそ、広く見受けられる気もします。今まさに、「自立・自助原理」対「社会的扶養原理」の根源的・思想的対決が、私たちに問われている。平たく言えば「わたし」の生を「わたしたち」で支え合う、この思想を太く豊かにできるかどうかにかかっている。

落合　その通りです。私たちが、本当に怒りを持って立ち向かわなくてはならない相手は向こう側にいます。でも、たとえば若くて非正規の人たちにとって、こういう見え方もあるかもしれない。「年寄りが増えたから、俺たちの生活が苦しいんだ」と。一方、お年寄りはお年寄りで生きづらさを持っていて、結局つらい同士が対立させられたり、二分されて対立させられる図になってしまっています。いつだって、権力はこうやって生きのびてきたわけです。分断による支配であり、統治です。

先日、岩手・岩泉のグループホームで、川の洪水で7人の方が亡くなった痛ましい事件がありました。たしか7年ぐらい前にも、山口県防府で同様の事件が起きました。特別養護老人ホームに土石流が押し寄せて、7人の命が奪われました。胸が詰まります。利用価値の下がった土地を所有者は早く売りたい。ひとたび豪雨があったり、近くの川が氾濫すると、危険なロケーションでも、施設が建ってしまう。そういう場所にお年寄りの施設など、「声が小さい側」が暮らす建物を建ててよいのか、国の責任が問われる大問題です。

私がとても恐れているのは、このように河川の氾濫や土砂災害という危険と隣り合わせで暮らすお年寄りや、障がいと呼ばれるものがある人たちの施設が、この国にどれくらいあるんだろうか、ということです。大きな声をあげられない人たちの、危険な居場所を、私たちは気づいていない、気づいたとしてもあきらめるというかたちを持ってしまっているのではないか、と。防府の事故以来、折に触れて書き続けているのです。県単位、市町村単位で調べなおし、国に要請すべきことだと思います。そして、そういうことにこそ、私たちの税金は使うべきだと思う。来年の軍事予算が過去最高を記録すると言います。私たちは何にこそお金を使うべきなのか。

●「相模原事件」から考える

菅間　その問題は相模原障害者施設殺傷事件と通底する部分があるんじゃないかと思います。命には序列がある。尊い命とそうでないものがある。「非効率・不採算」な部門に金を使っている場合じゃない。このような財源論をうちに含んだ思想・志向こそまさに「優生思想」ではないかと。

落合　まさにそうですね。「一人の、人間として許しがたい存在がとてつもない事件を起こした」、こう片付けるのが楽だと思うんです。その枠組みに回収してしまう。自分とは無縁、無関係である、と。言うまでもなく、殺人はまったくもって肯定できませんが、そのことを大前提としつつ、あの容疑者を追い詰めてしまったのは何か。そして彼のなかにある憎悪感や優生思想を増幅させる何かが、この社会のなか……人間関係、教育行政他、すべて……のなかに潜んではいないか。それこそを、私たちは問い続けたい。

生活保護を受給されている方々への、言われなきバッシングも、今なおあります。政治やそれを反映した社会が人々を分断し、できあがった溝を埋めることを「自己責任」とする。そういった構図の下で、自分より弱いと想定したものを、徹底的に差別の対象としていく。これらのことが底流でつながっているのではないかと思われてなりません。世の中が深呼吸できなければできないほど、私たちは酸素を取り入れようとして、より弱い側に追いやられた人たちから酸素を奪う。それがある種の差別、あるいはヘイトクライムにつながっていくんだろうと思います。

菅間　昨年、Eテレで放映された『シリーズ戦後70年　障害者と戦争』という3回連続の番組が、ナチスの障害者抹殺計画、「T4作戦」を丁寧に取り上げていました。そして、今年もあの事件の後、再放送されたようです。番組のなかで、当時のナチスによるプロパガンダ映像では「健全な国民同胞を健全にする資金が白痴者を扶養するために使われている。施設にはそのようなものがうようよいる。遺伝性疾患のある人に○○マルクかかった。この費用でどれほどの健康な人が家を買えるだろうか」とアナウンスされていました。

落合　その番組は観ていませんが、同じようなプロパガンダは、すでに様々な様式をとりながら、現実になされていると思います。

メディアの問題につなげて考えたいのですが、一例をあげれば、米国大統領候補のドナルド・トランプの差別的演説。50年代のマッカーシズムを想起させますし、さらに遡ればヒットラーのある思想とも重なります。この国のメディアはトランプの発言を面白おかしく、時には批判的に取り上げていますが、この国のなかにも同じ傾向、同じにおいはないか、という視点はほぼありません。

ずいぶん前に公開された米国映画、俳優のジョージ・クルーニーが監督も兼ねた『グッドナイト&グッドラック』が、マッカーシズムの側面を描いています。主人公のキャスターが批判をするが、他の多くのメディアは口をつぐむ。自主規制です。ある時、マッカーシー自身が自分に番組で話をさせろと要求して、実現する。結果、彼の主張は異様であり、不正義であると番組を通して、暴かれ、マッカーシズムが勢いを失う一つのきっかけとなったと言われています。マッカーシズムは「赤狩り」と訳されていますが、あれは「リベラル狩り」だと思います。それらも、遠い国の、遠い出来事ではない。今まさに、私たちが直面しているテーマではないかと思います。

この間、私は大江健三郎さんの『定義集』の文庫版の解説を書かせていただくことなったんです。緊張しながらの作業でしたが。その著作のなかで大江さんは「意志的な楽観主義」という言葉を取り上げて、光を当てておられます。どんなにつらい時代でも、あるいはつらい時代だからこそ、この「意志的な楽観主義」は必要だと私も考えます。現実を見ていれば悲観主義に傾く。先はなかなか見えないし、風穴もあかない。だからこそ、意志的な楽観主義を真ん中に据えつつ、現実と対峙したい、と私も考えています。

内輪を超える言葉をどう持つのか

菅間　ぼくは、時代の節目節目で、手垢のついていない言葉と表現で、運動や活動を励ましてこられたまぎれもない一人が落合さんだったと思います。何年か前の落合さんの講演では、アンジェラ・デイヴィス（米国・女性活動家）の次の言葉を紹介されました。「倒れた壁は、一気に未来への架け橋となる」と。ぼくも勇気をもらった言葉です。

落合　ありがとうございます。そう、彼女はずっと人間らしい社会をつくるために、社会変革のために活動してきた、ある種の革命家です。投獄された経験もあります。髪型も私と同じなの（笑）。２０１１年のオキュパイ運動の時、元気な姿を見ることができました。あと、たかが言葉、されど言葉なんだけれど、いつも気に留めるのは、私たちの運動に新規参入される方たち、あるいは運動の入り口で出たり入ったりされている方たち、こういう方たちにどういう言葉を届ければいいか、ずっと悩んでいます。いわゆる「効果的な言葉」じゃないんだな。相手の心をノックする言葉。私もまだまだ勉強不足、もっともっと言葉について学んでいかなくてはなりません。

菅間　最後に、本誌の読者の多くは教員なので、落合さんからメッセージをお願いしていいですか。実は一つリクエストがあって、自由の森学園での講演で教育についてふれられた以外の言葉をお願いしたいのです。ちなみに、その時落合さんはこうおっしゃられました。「教育の大切なことの一つ。それは、他者の痛みに対する想像力を持つということ」だと。あと、これは先ほど話された、こちら（側）から、あちら（側）にどうやって声を届けるのか、ということとつながりますが、こうも言われた。「自分と自分の属する陣営については敏感だが、そうでないもの対しては鈍感になりがちである。そして、この想像力を鍛えるために国語や英語や社会や算数があるんだ」と。もう一つは盲導犬について話されました。「賢い不服従が大事だ。飼い主が行けと言っても、危なかったから行かない。こういうことが大切なんだ」と。

落合　そうでした。そんな話をしましたね。で、それ以外の話をしろと（笑）。わかりました。

教師は教師であると同時に、その前に一人の人間であり、一人の大人である。子どもと大人は合わせ鏡のようなものですから、ある日突然「とんでもない子ども」、あるいは子ども集団が出てくるなんてことはない。子ども社会のギクシャクは、そのまま大人社会の反映でしかない。私、いつも思うんです。「すべての子どもにとって、すべての大人は環境問題である」って。水、空気、食べ物などだけではなくて、どんな大人が自分と向かい合っているのか、どんな大人が自分の周囲にいるのかによって、子どもの子ども時代は明らかに変わるはずです。だから、私たち大人は子どもの環境問題そのものなんだ、と。そう思いながら子どもたちと向き合ってほしいし、教師でなくともすべての大人はそうありたい。

ただ、自分は教師だから、という意識が絶えず頭にあるとすると、それもまたしんどくはないか。一人の大人として一人の人間としてというベースがまずあって、その上に職業としての教師がくる、と。この時代、大人や教師にとってもつらい時代です。それでもここに生きている、そのことを子どもに伝えられる教師であってほしい、そう思います。同時にそれは、書店として子どもたちに向かい合うことが多い、私の、自分との約束でもあるようです。

菅間　あっという間の2時間でした。ここクレヨンハウスで、美味しい食事をご馳走になって、落合さんの素敵な言葉をたくさんいただいて、とても贅沢な時間でした。お腹も心も満腹です。今日は長時間ありがとうございました。

辛淑玉さんに聞く

バカヤロー！と言える子ども、闘える子どもを育てよ！

——自己と仕事の奪還を通じて社会の奪還を

しん・すご

1959年、東京都生まれ。在日3世(韓国籍)人材育成コンサルタント。1985年、人材育成会社「香料舎」を設立し、2014年、退職とともに「のりこえねっと(ヘイトスピーチとレイシズムを乗り越える国際ネットワーク)」共同代表に就任。2017年よりドイツのハインリッヒ・ハイネ大学現代日本研究所研究員として2年間在籍。2003年、第15回多田瑶子反権力人権賞受賞。2013年、エイボン女性年度賞受賞。著書に『怒りの方法』『悪あがきのすすめ』(以上、岩波新書)、『差別と日本人』(角川oneテーマ新書)、『せっちゃんのごちそう』(NHK出版)、『その一言が言えない、このニッポン』(七つ森書館)ほか多数。

下手なことを言ったら怒られるだろう、なにせ『怒りの作法』の著者なのだから。「ままよ、胸を借りるつもりでいこう」とインタビューに臨んだ。しかしふたを開けると、怒られることなどまったくなく、緊張と緩和がいい塩梅で溶け合った時間となった。ともかく終始、辛淑玉節に圧倒されまくりであった。このおよそ3年後、辛さんは「ニュース女子」問題に心とからだを侵襲される。辛さんをそこまで追い込ませた日本社会の病理を憂う。掲載号には、『人間と教育』を持った辛さんと私のツーショット写真が載っている。その写真を撮った直後、「アンタも頑張れよ!」と思わず辛さんがハグしてくれたことも忘れ難い。

(2015年5月2日　インタビュー)

●人から愛されるな、自分で自分自身を愛せ

菅間 本誌では各界から多彩な方々に登場願っているんですが、じつは辛さんは、唯一の2回目の登場となります。覚えていらっしゃいますか？　タイトルは「男は降参しなさい」（『人間と教育』２０００年28号）。

辛 アハハ！　懐かしいなあ。かなり昔のものね。

菅間 今回、どうしても辛さんに会ってお話を伺いたいと思ったのには、２つ理由があります。一つは、２０１４年春の東京都知事選で、宇都宮けんじ候補を応援する辛さんの映像をネットで観たことです。それはそれは鬼気迫る、圧倒的迫力の応援演説でした。

また、この夏、辛さんの講演に出かけて、さらにいろいろ伺いたいと思いまして。その講演の冒頭、辛さんは笑顔でこうおっしゃっていました。「今週は3日完全徹夜、２日移動で合計3時間しか寝ていません。だから、もうフラフラです。頭真っ白、何を喋るかわかりませんよ」って。それを聞いて、そんな状況がもし1年３６５日続いているとしたら、辛さん死んじゃうよ！　と思ったのですが。

辛 今は、夏ほどじゃありません。それがずーっと続いてたら、本当、死んじゃうよ（笑）。基本的に一番睡眠をとるのは移動のときです。だから、今日も群馬で用事があったんだけど、行き帰りの電車の中では爆睡。

たぶん今、自分は病気だと思うんです。3・11以後、被災地に通い始めて、「現実」に突っ込んでいますが、突っ込めば突っ込むほど眠れなくなるんです。被災から1年か1年半経ったときから、本当に眠れないんですね。

菅間　それまでは、すぐ眠れるほうだったんですか？

辛　うん。わりともう、布団に入ったらバタンキューって感じ。だいたい深夜2時ぐらいまで仕事をしていますから。ただ、今言ったような状況になって睡眠導入剤を飲むようになったのね。それでなんとか眠りを確保したんだけど、忙しすぎて睡眠導入剤を飲む時間がない（笑）。何時間でも起きていられるし、眠くならない。だから、たぶん身体の状態が悪いんだと思うの。起きていられる結果、仕事が爆発的にできるわけ。いやー、夏は本当に大変だったなあ。今は、徹夜するのは1週間に1回ぐらいになったかな。なるべく寝るようにしています。

菅間　これは、辛さんにお会いしたら直接お伝えしたかったんですけれど、ぼくのなかでは、〝毛語録〟ならぬ〝辛語録〟というのがあるんです。3つあるんですけど、紹介していいですか？

辛　はい、どうぞどうぞ。でも何だろう？　心臓ドキドキするわ。

菅間　一つめは『女が会社で』のなかでの1行です。「自分自身をかけがえのない親友と想い、いたわったとき、はじめて仕事も楽しくなるよ」。ぼくなりの言い方で言うと、「自分を、自分自身の最良の友とせよ」という感じです。

辛　そう、その通り！

菅間　二つめ、これは『日本人対朝鮮人――決裂か、和解か』の永六輔さんとの対談本から。「日本社会の一番いけないところは、みんなに好かれたいと思うところです。これがいけない。嫌われたっていいのです、そんなもの。つまり、愛されることに一生懸命になると、きちんと意見が言えないのです。失敗してもいい、嫌われてもいい、一人になっても生きていくんだという気持ちがないと、ずっと誰かに媚びていくことになるのです」。

辛　みんなに合わせることを小さいときから学んでいくからね。

菅間　三つめ、これは『怒りの方法』から。「人間は何のために怒るのか、私が私として生きるため、これが私に一番ピンとくる」。

ぼくは、この3つの言葉が大好きで、まったくもって大賛成、同感なんです。これらの言葉は、今でも辛さんのなかではご自身の真ん中にある、大事な言葉でしょうか？

辛　はい、まったくの直球、ど真ん中！（笑）

菅間　よかった！

辛　要するに、自己愛ですよね。一人でいることが楽しい、という感覚が大事です。ウチの弟とか兄貴とか多くの男を見ていると、最期は女に看取ってもらおうと思っているやつがいっぱいいる（笑）。「家族がいなきゃダメ」とか、「一体誰が俺の飯を作ってくれるの」とか。そういうのを見ていると、バカじゃないかと思うの。それから、いつも友だちと群れてなきゃ不安になるというのもバカじゃないかと。一人でいて、人生が十分に楽しい、二人でいても楽しいときもあるし、不愉快なときもあるし。三人でいても……そんな感じ。そして、自分の言いたいことはちゃんと言っていく。世界中のすべての人が私を嫌いでも、私は私が好き。うん、グーよ!

私は、それほど多くないけど、カンボジアとかシンガポールとかの外国でも子どもたちと接してきました。そういう経験からすると、日本の子どもたちには同じパターンが見られるの。何か質問するでしょう。そうすると、必ず「え、なになに?」と周りの子に必ず聞く。まず当てられた時点で、自分の意思ではなく周りの意思を代弁しようとする。または、ずーっと黙っていて通り過ぎるのを待つ。とにかく、自分だけは決して浮かないようにする。そして指された子に対して、「うわー」って、みんなが笑う。そういう積み重ねの結果、半径3mの関係性を過度に気にするとか、既読スルーされたら傷ついちゃうとかってなるのよ。

政治は「弱者救済」

辛　関連して、今年の新入社員研修のことを話していいですか?

今は正規の新入社員30人の枠に、だいたい5000人くらいの応募が来るんです。その新入社員研修で、ここ数年は何をやってきたのかというと、友だちづくり、仲間づくりというのがテーマだったの。それが今年からＬＩＮＥ（ライン）。ＬＩＮＥで既読スルーされたらどうするかというテーマが新入社員研修になりました。それも大卒とか大学院卒とかの子たちを対象にね。その傷つきやすさというか何というか、ビックリするもん。「これ、私が担当するの？」って（笑）。

菅間　でも、きっとしっかりやられたんでしょう？

辛　やったわよ（笑）。新入社員研修って、とても時代を反映している。私たちが研修業界に入ったころの新入社員研修というのは、命令や電話の受け方、報告の仕方、お茶の出し方、接客の仕方なんかを男女ともにやりました。それがバブルの時は、人手不足でどの企業でも入れたから、その時は真っ直ぐ立って〝はい〟と返事をするというのを教えたの。「家庭でやってください」というような。もうスキルの研修ではないわけです。それから、バブルが弾けたときには「〝会社がいつまでもあると思うな〟と強調してくれ」と言われた。そして、そのあとは仲間づくり、友だちづくりとなって……そして、今はＬＩＮＥというわけ。

菅間　ぼくは、辛さんの本は一級の〝政治学のテキスト〟だと思っているんです。ミクロからマクロまでのポリティクス、それもとても具体的な国家の怖さから家族の抑圧性まで。併せて人間の弱さ、あるいは大衆がときに暴走することとか……。そのなかで、やるか／やられるか、という「実人生の白兵戦」（石川啄木）のリアルも語られる。

辛　なるほど。ただ、政治とは何かって言えば、それは簡単で、弱者救済です。経済は弱肉強食。資本主義は、基本的には人の物を奪っていくという社会ですから、少しでも人が死なないように、分け前を与えるというのが政治の仕事です。よく人権って言われるけど、人権はどんなときでも反権力なんです。だから、政治と人権は一緒にはならない。「人権」を言う人たちは絶対的に反権力で、そして政治家はいつでも弱者救済のところに鼻が利く。これが、プロの政治家としてあるべき姿だと思います。

●――なぜ、ヘイトにいってしまうのか――ヘイト問題の深層

菅間　さて、今日の本題である「ヘイトスピーチ（差別扇動表現）」問題に話題を移したいと思います。辛さんは、反権力の様々な市民運動にコミットされていますが、現在そのコアに、おそらく「ヘイトスピーチとレイシズムを乗り越える国際ネットワーク（「のりこえねっと」）」があるかと思います。ぼくも、遅まきながらこの秋、会員に加わらせていただきましたし、カウンターデモにも参加しました。

その「のりこえねっと」の活動の文脈で、夏の辛さんの講演において、ぼくは次のような質問をしました。「ヘイトにいってしまう人たちにはどういう課題があるのか。また、ヘイトにいってしまう人たちのなかに、結構在日コリアンの4世・5世がいるとのこと。それをどう考えるか」と。野間易通（やすみち）さんの『「在日特権」の虚構』（河出書房新社）のなかにも、在特会の初

代の副会長が在日コリアン云々というくだりがありましたが、ことは「日本人対在日コリアンの構図」ではない、と。辛さんは厳しい表情で「ヘイトにいってしまう在日の問題を抜きに、差別の問題は理解できない。これを真剣に話したら3時間はかかる」とおっしゃっていた。この点についてお話しいただければと思います。

辛　そうですね……。たしかにこの問題は、大変時間がかかります。

マジョリティが一番陥りやすい誤解は、日本人が朝鮮人を叩いているというふうに簡単に思ってしまうこと。安倍首相をはじめ、ヘイトのことを「日本の恥だ」「日本人として恥ずかしい」と言います。ならば、「それをやっているのが中国人だったら恥ずかしくないのか」ということになりますよね。そこに歴史的視点と想像力の欠落がある。つまり、戦前・戦後の歴史、近代史がわからないと、ヘイトにいってしまうという感覚やマイノリティが理解できないと私は思っています。

『にっぽん部落』(きだみのる、岩波新書、1967年)というすごい昔の……民族論、民俗学の本があります。そこには、村の掟のなかで決を採るときは、全員一致のときしか決を採らないと書いてある。それで、一人でも異議があるときは採決をしないというの。すごいですよね、それって。

日本の企業も同じです。会議が始まったら、もうすでに結果は決まっている。そういう社会のなかにいると、ものすごく息苦しいんだろうと思う。人と違うということへの凄まじい恐怖心がある。そこから逃げたい……けど逃げられない。それで、日本人というものを確認する作業が必要になってくるわけ。そうなってくると「俺は朝鮮人じゃない」というところに辿り着く。

日本って、いつも朝鮮をいたぶりながら、日本を再確認してきたというところがあるんです。日清・日露戦争も、そして戦後で言えば、韓国は軍事政権といって叩き、儲けて、そして北朝鮮は地上の楽園といって儲けて、今度北朝鮮は拉致・テポドンで叩いて儲け、韓流ブームでまた儲けて。つまり、持ち上げても叩いても、朝鮮戦争も含めて何にしても、たえず朝鮮に依存しつつ恐怖を感じながら日本社会は来ている。そういうことの延長に「ヘイトスピーチ」もある。そして、そのなかに、なぜ在日が絡め取られるのかといったら、日本の社会には朝鮮人が生きていくための情報は何もないからなんです。

「なんで朝鮮人、韓国人は帰らないんだ」と言いますが、まず1世は、日本語も韓国語もおかしい。植民地というのはそういうことなので、ごく一部の人を除けば、2つの言語が両方ともちゃんとできなくなる。それから女性に関しては、字を書くこともできません。2世はある意味で言うと「なんで俺のことを朝鮮人と言うんだ」っていう世界です。そして、3世になると、自分が何だかもうわからなくなって、乖離してくるんだよね。だって、まわりは全部日本人で、ずーっと日本の人と同じように考えて生きてきているから、自分が朝鮮人なのだ、韓国人なのだというのはどこかに飛んでしまうのね。

親が「民族学校に行け」と言ったとしても、いったい全国にいくつあるんだ、と。民族学校というと朝鮮学校を想像するけど……私は「朝鮮学校は民族学校ではない、北朝鮮学校だ」と思っています。民族学校というのは、自分の親の歴史を学ぶところ、自分のルーツと歴史を学べるところだと思っています。理想は、国連からの勧告にもあるように、公教育のなかで、その子どもたちの母語でまず授業をすることです。例えば、ブラジル人の子ならポルトガル語で生活科の授業をやるとか、英語の授業をする。そして、その子たちの民族史をちゃんと教えることです。にもかかわらず、日本は一度もやっていません。つまり、もしそういうことが現実として成立していたならば、ものすごいアイデンティティ・クライシスは起きなかったと思うんです。

日本は、大和民族以外の多民族を抹殺し続けてきたでしょう。それはアイヌに対しても、ウチナーンチュに対してもそうです。そうすると、そうされ続けた側は自分が何だかわからなくなってしまい、過剰適応していくんです。人間は誰でも生きようとするから、この社会に合わせて生きよう、生きようとして、多くの人たちが過剰適応した結果として、「俺はあれとは違う」となる。だって「あれ」そのものが誇りあるもの、なんていうことは一度だって教わらないんだから。そういう日本社会のなかにあって、朝鮮人だけが〝私は私〟なんて生きられるわけがない。そしたら、彼らは生きるためにヘイトスピーチをする側にいく、ということです。

そして、より激しく朝鮮人や中国人を叩いたのが、例えば、やしきたかじんさんだった。つまり、自分の親との関係とか、日本の社会のなかで棄民とされた結果として、過剰適応する者が出てくるのです。だから、そこまで理解しないと、なぜヘイトにいってしまうのかもわからないし、ヘイトにいってしまった人がそのあとどうなるかもわからない。端的に言って、壊れますよ。徹底的に壊れていく。そして救える道はない。

●――在日を壊し、帰る場所をつくらせない日本社会

辛 人間って、一度認識したものを上書きすることがなかなかできないのね。そうすると、そういう社会性を持って生きていかざるを得ない。自分の本質を否定してしまった者というのは、その後どこに戻れるのか――。戻るところがない。排除する構造を温存するということは、次は自分も排除される対象になるということなのです。だから、このような状況をより理解できる人たちを早くピックアップして救っていくんです。私はどんな時でも「溺れている人を全部救うことはできない」と思っているんです。

菅間 「そんなことをしている暇はない」っていう言葉が、何度もご著書に出てきますよね。

辛 そう。「右手を出した、さあ、この手をつかめ」って、つかんだ人しか助けられないんです。それを「あいつもこいつもなんて無理だから止めとけ」って話です。自分の限界も大人の限界も知ったうえで、「この手をつかめ」と。つかんだ人しか助けられないし、残った人は、

その人の生きていく力を信じるしかない。その人がどんなにひどいことをしても何をしても、生きていくという力を信じよう、と。ヘイトをしようが、何をしようが……。そうでないとやっていけない。もっとも、壊れた彼らを日本社会が受け入れるかというと、絶対受け入れませんけどね。

菅間 そうですよね。帰る場所がない。

辛 帰る場所がなくて死んでいったのは、自民党の新井将敬さんがそうですよね。それから、つかこうへいさんも。彼は遺書で「最後は海に流してほしい」と言ったでしょう。

菅間 つかさんは2世でしたよね。

辛 そう、2世です。つかさんに直接聞いたわけではないけれども、少なくとも私の知りうる在日2世は、死に場所がないの。講演会場で「なんで海に流してほしいと言ったんだと思う?」と聞くと、「日本と韓国の橋渡しをしたいから」と答えた方がいました。それを聞いて「あーあ」と。つかさんにも生きる場所はあった。自分のことを賞讃してくれる社会がね。でも、自分が朝鮮人であることを恨んで、母親にぶつけていた。その母親を思って〝いつか公平に〟という意味で〝つかこうへい〟という筆名にして、そして平仮名で母親にも読めるようにした。自分を賞讃してくれたこの土地は、自分の親たちを踏みにじった土地でもあるわけです。かといって、韓国は在日の歴史も知らないし、在日に対する興味もない。もう日韓どちらに対しても愛憎入り交じってグチャグチャになっている。だから、そこを死に場所にするというのも、

2世にはすごく難しいわけです。

3世になると、今度は「自分は日本人なのになぜ?」というふうになる。それはそうですよね。日本語でものを考えているのに、「自分は韓国人です」って。それ自体が矛盾している。ここにも、日本の戦後処理がきちんとできていないことが表れています。

1945年に遡って、もともと「皇国臣民」として日本国籍を持っていた、日本にいた植民地出身の人たちには、国籍選択権があるべきだったのです。それをまったくなしにして、ある時「お前はもう日本人じゃない」、そして「韓国人だから帰れ」と言い出す。それはやはり人間を壊していくんです。「朝鮮学校」というのはある意味守られています。朝鮮人たちが集まっていて、そこに行けば仲間がいるし、親たちと連携があるから。でも、在日の99パーセントは日本の社会のなかでポツリと生きているんです。

行政も見事に排除のターゲットを決めましたよね。「この人は日本人ではありません」と選別し可視化する。学校に行っても、別に朝鮮史を習うわけでも、近代史を習うわけでもない。自分の歴史を子どもに説明できるような在日の親なんて誰もいません。それに「なるべく出自を隠して日本名で生きることが子どもを守ること」という歴史があったし、そうやって生き抜いてきたわけだから、そういったものの積み重ねのなかでこれだけのヘイトが出てきて、嫌韓があると、どんどんどんどんおかしくなっていくんです。

私のところに来たなかで、一つすごいケースがありました。彼女は、両親も日本国籍、彼女も日本国籍。国籍でいうとそうだった。ところが、離婚して子の親権争いになった時に、相手の母親から「これだから朝鮮人の女は恐い」と言われたんです。その時は、びっくりして何を言っているのかわからなかったのね。それで調べてみたら、「おじいさんかおばあさんが韓国人だった」っていうわけ。振り返ると、「おじいちゃんのお墓かおばあちゃんのお墓かわからないけれど、なにかの話になるとみんな黙っていた」と。そうやって、いろんなことの辻褄が合ってくるんです。それで、解離性障害を発症し、私のところにしがみついて来るわけ。でも、来られてもどうしようもないよね。私にしがみついていると病院に行かないから、彼女が来ると私が会社を出るわけですよ。やはり、壊れてしまうんです。

精神科医のところに行くとやはり「在日の比率は、高い」と言われます。それはそうですよ。だって、抑圧される者の比率が高いからね。そういう時、私は「朝鮮人を守ろう」と言っても、「自分のまわりにいるはずの見えない人たちが沈黙をしないですむような環境をつくろう」とは言わない。見えたところしか、やはり助けられないんですよね。

沈黙を強いられた者は、ずっと沈黙を強いられる。その壊れ方が、たぶん何世代にも及ぶのだと思います。そこに、この社会の闇の本当の深さがある。もし、それを変えられるチャンスがあったとしたら、それは１９４５年以外にはなかったと思います。あの時に日本人自身の手によって天皇を裁いて、戦争犯罪人を裁いて、何らかのかたちで、自分たちの力で、新しい社会を切り開いていくんだというスタートを切ることができていたら、たぶん今の社会とは違っていたでしょう。その清算が日本人自身の手でできなかったことによって、その歪みがずーっと今にまで影響しているんです。そして〝日本人は嫌だ〞と思いながらも意見を言ってはいけない社会のなかで、どこで発散をするのかと言ったら、より弱い者に向かっていく。

それはヘイトであったり、みんなが言っている「敵」に向かっていく。その「敵」というのも、あれを叩けと「国家・政権」のお墨付きのついたものばかりでしょう。国がOKと言ったらGO。要するに天皇の赤子(せきし)なんだよね。天皇の赤子だからこそ、ヘイトができる。だから「あれを見て、天皇制が見えないというなら、あんたは日本を知らないよね」ということなんです。

ヘイトメディアや新しい動きをどう見るか

菅間　ヘイトの担い手、いわゆるネット右翼問題なども絡むと思いますが、辛さんたちがMCをされている〝のりこえねっとTV〞、ネット上のTV番組があります。そのなかで、先ほど名前をあげた野間さんと辛さんの対論のなかで、興味深いやりとりがありました。

野間さんはこう言います。「登場から10年経って、もう2ちゃんねる文化みたいなものの結果がはっきり出たんじゃないか。それなのに、なんで〝のりこえねっとTV〞みたいな番組がニコニコ動画で出るのか。(野間さんを含む)カウンター勢力は、ニコ動ではやりません。別のネット空間で挑みます。むしろドワンゴ潰すぐらいの勢いです」と。あの論争について、辛さんからご意見があればお聞きしたいのですが。

辛　私は、結論としては、基本的に野間さんと同じ思いなんです。ヘイトが蔓延したなかに反ヘイトのカウンターが生まれたのですから。もし本気でやろうと思うならば、チマチマ文章を書いたりではなくて、敵のど真ん中にいって「ヘイトくん、こんにちは」って、言わなきゃいけない。そこを体感しないと絶対にわからないことがあると思ったのね。ただ、ニコニコ動画はやはりマイノリティはまったく出られないということだけは事実です。一回出たマイノリティは、どれほど生きてく力を削がれるか。それはもう、事実です。だから、その意味で言うと、「ドワンゴはもう、潰さなきゃいけない」と言った野間さんは正しいんです。

レイシストと見て見ぬふりをする人ばかりのなかで、マイノリティにとっても、安全で安心なところなんかもうないんですよ。インターネットの世界は、個人が散弾銃を持つ時代ですから。ちょっとでも気にくわなかったら、撃たれて死んじゃいます。だからその時にメディアをどうハンドリングするのかは、重要な課題だろうと思う。ただドワンゴ、2ちゃんねるは、歴史的にはもう潰さないといけない。終わったメディアだし、終わらせなきゃいけない。要するに、あれがあることによって、多くの子どもたちの心身が蝕まれていくからです。身体のなかに、ある種の悪性腫瘍があるようなものだから、それをずっと放置しておいたまま大人になるっていう感じでしょう。ネットの世界には、大人の知らない世界がありますから。だから、そこで中に入って改善するか、それを切り取るか。それは漢方でやるか、外科手術をするかの違いであって、根本的にはあれはやはりなんとかしないといけないと思っています。

野間さんたちのほうがメディアとか、その闘い方に関しては優れています。それから日本の運動のなかで、彼らぐらい面白い運動をしている人たちはいないよね。今までは組合とかでやっていたけど、彼ら一人ひとりが動いているでしょう。ただ、ああいうものが長続きするためには、既存の運動団体とつなげなければいけない。へたっても腐っても労働組合です。既存の正規雇用の人たちの組織と、新しい組織をいかにちゃんとネットワークをつないでいくのかがカギになる。そうすることよって、彼らが道を切り開き、勢いがついていく、そういうふうにしないといけない。若い子たちは経済的に締め付けられたら、次がないんです。だから、もし、私の役割も含めて〝のりこえねっと〟の役割があるとするならば、それは次の世代につなげていけることだと思います。それから頑張って次の世代の踏み台になれるといいなあと思います。

他にも、今いろんな若い連中が面白い動きを始めているでしょう。私は、彼らはＩＰＳ細胞、万能細胞だと思うよ。固まりかけていた心臓とかにポッと付けると、心臓が再生していくみたいな（笑）。万能細胞はやっとちょっとだけ出てきたから、それをあちこちに貼り付けようよ、と。そうすることによって、社会は再生できるはずです。

教師が教師を生きることの困難

菅間 最後に、本誌の読者の多くは教員ですので、辛さんからメッセージをお願いできますか。

辛 今、先生たちってかわいそうですよね。だって、教師が教師を生きることができない時代でしょう。教師が自分の意志を持って生きることができない時代に教育をしなければいけないというのは、教師にとってはとても大変なことです。ベルトコンベアの上に乗せていくような教育を求められて、板挟みになって、潰されていくのは教師のほうです。〝腹を括って闘うんだ〟という意識を、一人でも二人でも持っていれば、その職業人全体が活性化されていくけれども、そういうのは周辺に追いやられますよね。お上の顔色をうかがっているから、子どもの顔なんか見ている時間と余裕もない。特に教室なんか閉鎖空間でしょう。自分の子ども1人だってまともに育てられない時代なのに、カネがないからって、国はまた、40人学級に戻すとか言っていますよね。「バッカじゃないの！　米軍基地に７０００億使っているのに、どこに金がないんだ。あるだろ！」という話でしょう。

菅間 顔色をうかがったり、思いやる方向と対象が全然違いますよね。

辛 まったくですね。２０１４年にセウォル号で沈没した子どもたちと同じような子どもを育てようとしているのよ。大人の言うことを聞いて、工場労働者として、そして逆らわない人間をつくるための仕組みというのが、経済的な構造でもうできあがっている。

　大学で、なんであんなに就活させるのかわかりません。就活でみんなボロボロになるでしょ。就職できる学校がいい学校なんていうのは、まったくの嘘。そうではなくて、どんなことがあっても生きるという力をつけられる教育、それを今、大学は本腰を入れてするべきです。大学は就職力とか、公務員試験準備教育とか、そんな屁にもならないような予備校的役割を果たすのではなくて、「このカオスの時代に、それでも他者を思いやって生き抜くためにはどうすればいいのかということを根本的に教えることをめざします」という宣言をすべきです。

　小・中・高段階で言えば、その時点でもう勝負がついていて、低賃金の労働力として使い捨てにされることが目に見えているわけでしょう。高校に行った時点で実は小学校、中学校のときに学力が追い付かないなどの見捨てられた子どもたちがいっぱいいるわけですよね。今は教育というものは崩壊している社会です。だから、私は先生たちに「頑張るな」とは言えない。けど、希望をうんと低くするしかないだろうと思うんです。悪いけど、「希望はない」。ただ、唯一のチャンスは「政治を変える」ことです。

　ちなみに、私は企業研修の時にこう教えます。「あなたたち、ちゃんと稼ぎなさい。そして労働組合に絶対入りなさい。労働組合というのは企業の暴走を止めるから、ちゃんとした労働組合をつくりなさい。企業の暴走を止めるということは、戦争を止めるということだから」って。

そしてもう一つは税金です。「税金はちゃんと納めなさい。あなたたちが必死に働いて、その〝見かじめ料〟を『菊のご紋』が持っていくわけだから、それがどういうふうに使われているか、徹底的に追及しなさい」と。「この2つが企業人、つまり大人になって社会で働いて金を稼いで税金を払うってことだからね」と言うと、みんな「へぇーっ」となる。「そこまでできなかったら大人じゃないんだからね。ままごとをやっているんじゃないのよ。生きるっていうこと、企業で働くということは、そういうことだからね」って（笑）。

だから、18歳にもなって理不尽なものに対して「バカヤロー！」「なめんじゃねーぞ！」の一言も言えないような学生を育ててどうすんだ、っていうことです。「今こそ全部の学生を連れて、巨悪と闘うべきが教育だろ！」と。

だってそうでしょう。その子たちが例えば学校を卒業したあと、〝パワハラには遭うわ、セクハラには遭うわ〟というときに、闘えるのか、と思う。このことが学校教育の中心課題です。それもやらないで「子どもを守るため」とか言って……アホかと思います。「ボクが守ります」なんて言っているヤツが本当に一生守れるのか。「俺が守る」は「俺の言うことを聞け」と同義よ。そうじゃなくて「なめんなよ！　私は私の身を守るんだ。お前はお前で自分の身を守れ！」ということが大事です。どこかで教育者が何か勘違いをしているんじゃないの？　だから「闘えなかったら休んでなさい、逃げなさい」と言えばいい。その代わり、迎合しないこと。今、メンタル不全にならない教師のほうがおかしいですよ。

●――人間としてそれはアウトだ！という感覚を大事に

辛　今、この現実の社会のなかで送り出していく子どもたちの将来は、まともに考えたら未来なんか何もないですよ。ひょっとしたら戦争に送り出すかもしれない。戦争に反対する力をつけないでこの子を送り出したら、この子はそのまま弾になるかもしれない。いや、人を殺すかもしれない。それを直視したら教育なんかできませんよ。早く自分を取り戻して適当に仕事をさぼり（笑）、人間的な子どもとの時間をいかにつくるのかということを考えることのほうが、今の時代の教師という職業の王道だと私は思います。

菅間　それは、むのたけじさんが言われる、権力との闘い方「〝疑う〟〝逃げる〟〝嘘をつく〟」に通じますよね。ただただ、「清く正しく美しく」、ド真面目で誠実だけだとやられてしまう、と。

辛　そうそう、まったくそうよ！「あなたの教師人生のなかで、あなたのように生きられる子どもたちはもうほとんどいない社会に、あなたは送り出すのだ」と。今、数学を教えたいからって、のほほんとできる状況なのか。「パソコンのやり方とか英語を教えて、この子の本当の力になると思うの？」って話。そうしたら、生きていく力というのは、「英語でお話ししましょう」じゃないでしょう。もう「シャラップ！」だよね。力のある不愉快なやつを罵倒するぐらいの日本語力が必要だろうと思います。

菅間　日本語でも英語でも言葉でケンカできる力、闘える力をつけろ、と。

辛　そう。まず「嫌なものは嫌なんだ」と。それから人間の直感として「これはマズいでしょ」っていうことです。

私、この間ヘイトスピーチとは何かという研修に行ったの。そしたら、そこに来ていた県庁の職員が「どこからどこまでがヘイトですか」とか言うんです。これが学校を出た男の、県庁職員の基本対応なのね。それで私、もうウザくなっちゃって。で、カウンターをやっている子たちに「あなた、なんでカウンターを始めたの？」と聞いたら、「だって、〝朝鮮人殺せ〟はアウトでしょ」って言ったの。そこに人間としての直感があるわけです。だけど、県庁職員は「これはヘイトですか、これはヘイトではありませんか」と聞いてくる。彼らには「言葉には尊敬語、謙譲語、丁寧語があって、その対極に不快語があって、そのなかに歴史性を伴う差別語と差別表現があって、そして攻撃するという意図を持って使われるヘイトスピーチという差別扇動表現があって……」とか説明していかないと、理解できない。

いま、原発の被災者に対して「被災者特権だ！　被災者は帰れ！」と言ったり、「アイヌ特権」なんていうものも出てきている。そういうデマにも騙されやすい。

一方でカウンターは私の知る限り、非正規で働いている人が多いです。ヘイトをやっているほうが中流の下ぐらいなのです。それで、非正規のほうが不安は大きい。深夜労働していると、外国人と一緒に生きているわけです。もうどこでも今は、飲食店で外国籍住民のいないところに出会うほうが難しいでしょう。そうすると、彼らは日常のなかで、人間としての交流と直感があるわけ。だから「そりゃアウト！」となるわけです。でも、今の学校教育は「どこからどこまでがヘイトですか」と言う人を育てる。だから思うの。「それをあなたが一生懸命教えても無理ですよ。それはつまるところ〝人権〟は好きだけど〝当事者〟が嫌いな子たちをいっぱい育てちゃいますよ」って。

だから、人権なんかへたれだと思ってもいいから、「当事者と一緒に生きていく力、ケンカしても和解できる力」というものをいかにつけていくのかが、本当に大事になってくる。「これって変じゃない？」と感じて声に出し、行動するためにも、教師こそ、授業の方向性を、自己奪還のためにやるべきだ、と本気で私は思っているわけです。

教師はまず、人間として自己を奪還し、教職を奪還しないと。そして自分の仕事、自己奪還を通じて社会奪還していくっていう筋道を描ければいいよね。だからくり返すけど、子どもは「闘わせろ」と。「18歳になるまでにバカヤロー！　と言える人間を育てろ」と。力の強いヤツ、声の大きいヤツに「そりゃ、違うよ」って言えるようにする。そうなるためには、先生は頑張って手を抜きましょう（笑）。

菅間　今日は最初から最後まで、〝辛淑玉節〟炸裂で本当に楽しい時間でした。ありがとうございました。

塚本晋也さんに聞く

戦場を経験した人の声を聴く、つなぐ

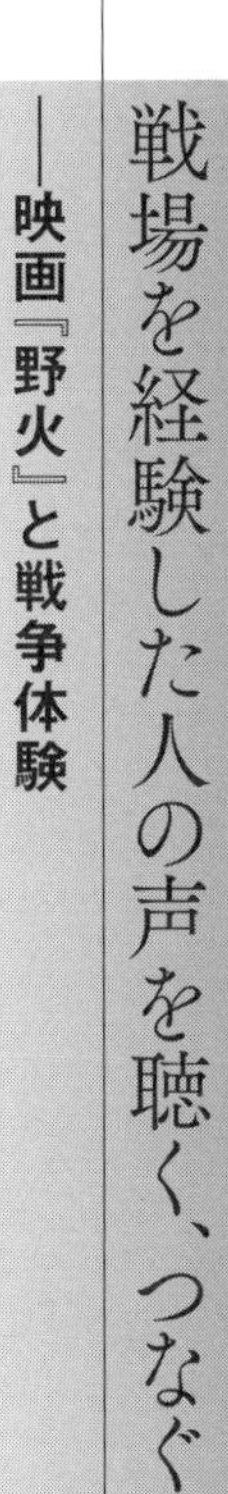

——映画『野火』と戦争体験

つかもと・しんや

１９６０年、東京生まれ。映画監督・俳優。有限会社海獣シアター代表取締役。日本大学芸術学部美術学科卒業。１９８９年『鉄男』で劇場映画デビューと同時に、ローマ国際ファンタスティック映画祭グランプリ受賞。制作、監督、脚本、撮影、照明、美術、編集などすべてに関与して作りあげる作品は、国内外で数多くの賞を受賞し、公開される。著書に『冒険監督』（ぱる出版）、『塚本晋也×野火』（游学社）など。

映画監督兼俳優というと、読者はどのような人物像をイメージされるだろうか。芸術は民主主義では創れない、とばかりに「歩く天動説」のような方を想起される方もおられよう。しかし、こと塚本さんについて言えば、そういうイメージとはまったく無縁である。偉ぶるところが微塵もない。本当に謙虚で腰が低く、その穏やかな人柄は驚嘆に値する。もしかしたら、生き方そのものが真の意味で平和的なのかもしれない。だからこそ、平和を壊す者、平和を乱す動きに対しては、毅然と立ち向かうのだろう。ぜひ、一人でも多くの人に塚本晋也版の『野火』を観てほしい。そして「戦場」を想像し、感じてほしい。

（2019年3月16日　インタビュー）

●高校時代に『野火』の映画化を構想

菅間　映画『シン・ゴジラ』ではゴジラの謎をとく生物学者、『クワイエットルームにようこそ』では主人公の元夫、『沈黙——サイレンス』では磔のシーンが衝撃的なキリスト教徒・モキチ、あるいはＮＨＫの朝の連続ドラマでは『ゲゲゲの女房』『カーネーション』『半分、青い』など、思いつくままにあげても、塚本さんが演じられた役柄・作品は数多くあります。

少し個人的な話になってしまいますが、ぼくは『カーネーション』が大好きで、朝ドラのなかで唯一、録画をして観る番組でした。何気なしに観始めて、すっかりハマってしまいました。渡辺あやさんの脚本と主演の尾野真千子さんが本当に素晴らしかった。印象的だったことの一つが、戦場をまったく描かないけれど、加害兵士の「戦争トラウマ」についても取り上げていたことでした。その『カーネーション』で、塚本さんは、主人公・小原糸子の娘、三姉妹の次女に対して、明るく陽気に絵画や進路の指導をする原口先生役でした。

塚本　いろいろご覧になってくださってありがとうございます。ＮＨＫの朝ドラは、ちょっとした役なんですが、いろいろ呼んでくださって。『カーネーション』について言えば、次女を励ます美術学校の先生は、彼女を開眼させる役所でしたね。ＮＨＫはいつも緊張するんですが、あの作品はなぜか私自身、とても気持ちよく演じさせていただいたことを覚えています。

菅間　塚本さんは、日大の美術学科で学ばれて、美術科教員の教育実習もされたわけですし、さらに言えば、一時期、多摩美術大学の教員もしておられました。その意味でもまさにぴったりの役でした！

塚本 そうなんですよ、よくご存知で。でも私は本当に自分が教員に向いていないことがわかって、多摩美のほうは一年で教員を辞めさせていただきました（笑）。

菅間 そして、塚本監督最新作は、２０１８年公開された映画『斬、』。これも観させていただきました。ひりひりするような緊張の場面が続き、深呼吸することを許さない、ずっと息を潜めて観るような映画でした。この作品はベネチア国際映画祭のコンペティション部門に出品されましたし、２０１８年の毎日映画コンクール男優助演賞、芸術選奨文部科学大臣賞も受賞されました。おめでとうございます。

塚本 ありがとうございます。賛否両論ある映画なので、大きなところで「賛」をいただきますと、ほっとしたような、安心した気持ちになります。

菅間 塚本さんは、俳優に、映画監督にとご活躍されているわけですが、今日はそのお仕事全般について伺うというよりも、乾坤一擲（けんこんいってき）、全精力を傾けてつくられた映画『野火』について、そして『野火』から派生して、特に戦場経験などの継承やその課題などについてお聞きしていきたいと考えています。よろしくお願いします。

塚本 こちらこそ、よろしくお願いします。

菅間 映画『野火』については、ネット上でもたくさんの批評や塚本さんへのインタビューがありますが、改めてご紹介すると、2015年公開、同年のキネマ旬報・日本映画第2位で、毎日映画コンクールで男優主演賞と監督賞を受賞。主演・監督・脚本・撮影・制作などを塚本さんがお一人で行われています。原作者は、作家・大岡昇平、一九五一年の発表です。大岡は、アジア・太平洋戦争当時、35歳で召集、フィリピン・ミンドロ島で捕虜となりますが、作品は、田村一等兵――ほとんど大岡昇平と重なりますが――の目を通して、フィリピン・レイテ島で部隊から見放された兵士、「遊兵」の極限状況を描き出します。ちなみにレイテ戦では日本軍出征兵士の97パーセント、8万人が戦死される。

その『野火』のあとに書かれた『レイテ戦記』で大岡は「七五ミリ野砲の砲声と三八式銃の響きを再現したいと思っている。それが戦って死んだ者の霊を慰める唯一のものだと思っている。それが私にできる唯一のことだからである」と書いています。その言の通り、『野火』を「虫の目／一人称的視点」で書いたものとすると、『レイテ戦記』は日米双方の膨大な資料を駆使して「鳥の目／三人称的視点」で俯瞰的に描いています。

続けて2つの『野火』映画評です。

「今まで観たどの映画よりも目を背けたくなるようなものばかりが焼き付けられていた。神経がえぐられるような、痛覚に直接触れるような描写の数々」(「雨宮処凛がいく」347回『マガジン9条』)。

「もはや生きているのか死んでいるのかもわからない状態で行き倒れている人、正気を失ってしまっているのではないかと思われる人……スクリーンに映し出される人々の大半はこのような状態なのである。かつてこのような戦争映画があっただろうか」（中村江理『中帰連』57号）。

ぼくもお二人の意見にまったく同感です。まず最初に、この映画をつくろうと考えた思い、動機からお伺いできますか。たしか、高校時代に『野火』を読まれて映画化の構想をお持ちになった、ということですが。

塚本　はい。多感な頃、決して多くはありませんが、いくつか日本の文学作品を読んで、とても心に残ったのが『黒い雨』と『野火』だったんです。で、どちらかと言えば、『野火』のほうが深く心に刻まれました。なぜかと考えてみるに、文学でも映画でも戦争を扱った場合、例えば原爆にしろ、空襲などにしろ、多くは被害者視点の怖さが描かれます。そして、それはとても大切な視点・表現だと思うんですが、戦争はその側面だけでなく「加害行為」をせざるをえない、「殺す側」に立たざるをえないのも事実です。それが一つあったのかなと思います。もっとも『野火』は加害者性だけでなく、一等兵という「普通の人」、つまり今の自分と近いような目線で入っていけるところも大きい。それが、いわゆる戦争ヒロイズム、感涙、あるいは悲劇性とは無縁のリアリズムと恐怖で貫かれており、まるで自分が田村一等兵と同じように戦場に立っているかのような錯覚を起こすわけです。あと、人間の愚劣さや醜悪さとあまりに対照的なフィリピンの色彩鮮やかなゆたかな自然描写にも、強く惹かれました。

「戦争否定」が当たり前でなくなる？

菅間　加えて、塚本さんの著作『冒険監督』では、近年の社会情勢を背景にこんなふうに記されています。

「〝戦争の気配〟はますます世界的に濃厚になっている。特に日本では、実際に戦地に行かれた、交戦の痛みを体で知っていらっしゃる方々が少なくなるにつれ戦争に近づく動きが明らかに強くなっている」「『いてもたってもいられない、うわーっと叫びだしたい衝動』に駆られ、その叫びを外に解き放たないと、とてもじゃないがいられない」と。

塚本　おっしゃっていただいた通り、最初に私が「いつか『野火』の映画をつくりたい」と思った頃や、その後の二〇代、三〇代の頃までは、実際の戦争になるかもしれない、というリアリティは希薄でした。「戦争は忌むべきもの」「戦争の否定は普遍的」ということの確認のためにつくれれば、と考えていました。しかし、だんだんと時を経るなかで、四〇代くらいからでしょうか、「あれっ？」という感覚に襲われました。私は本が好きでよく書店に行くんですが、いつの頃からか、歴史や社会もののコーナーに置いてある、戦争についての本の種類や量が大きく変化してきました。それまでは「戦争はしてはいけない」という論調が多数だったと思うんですが、次第に「いや、時には戦争は必要である」と言わんばかりの勇ましい本がどんどんコーナーを占めていっている、と思ったんです。「これは何かおかしいぞ」という感覚でした。

菅間　本当にそうですね。この十数年で、書店の書棚やネットの世界でも最初に出会う情報が、過去の戦争を肯定・美化したり、近隣の国々を見下したりするようなものが目につくようになりました。総じて、平和や反戦を揶揄・冷笑するような類いのものが増えてきた。

塚本　ええ。今現在は、少しまたゆり戻しのようなものがあるんでしょうが、一時期は本当にすごかった。そのような違和感を覚えた四〇代半ばの時に、『野火』を本格的に制作しようと動き始めました。フィリピンでの戦争から生還された、フィリピン戦友会の寺嶋芳彦さんにお話を伺い、レイテ島の兵士の遺骨収集にもおつきあいさせていただいて、そこで戦争体験のある方々のお話を伺ったんです。それで、異口同音に言われたのが「とにかく、絶対に、二度と戦争だけはしてはダメだ」ということでした。そのことを本当に強くおっしゃられた。

結局、完成までは本当に紆余曲折あって、それから八年あまりかかるんですが、身体で戦争を体感・記憶している人がいなくなり、頭で戦争を論じる人が増えてきているなかで、なんとか戦後70年の節目に映画を間に合わせることができた……そんな感じです。

そして完成させた後も、私みたいな人は圧倒的に少数派で「何、この映画!?」って一蹴されてしまうんじゃないかと心配していました。けれども、この映画公開の年は、「安保法制」をめぐって世の中が騒然となっていた。その世論の沸点と、偶然とはいえ映画公開のタイミングが見事に重なりました。

最初、映画館に足を運んだ方は、白髪の、わりとお年を召した層でした。次に、母親の層、次に、その母親が子どもを連れて、さらには学校で平和教育をされている先生方、というふうにどんどん広がっていって、何より若い人たちが観に来てくださったことは本当にありがたいと思っています。

●餓死と人肉喰い

菅間 ぼくも社会科教師という仕事柄、多くの戦争映画を観てきました。なかでも、五味川純平原作の『人間の條件』には深い感銘を受けたのですが、人肉喰いの話では、『軍旗はためく下に』あるいは『ゆきゆきて、神軍』、戦闘シーンのリアルについては、スピルバーグ監督の『プライベート・ライアン』の冒頭二〇分や後半の肉弾戦などが強く印象に残っています。しかし、戦争映画を一つあげろと言われれば、その衝撃性において、三〇代の頃に観た『野火』(市川崑監督)をあげるだろうと思います。

市川監督版は、白黒映画で、闇が多い分、想像で補う部分が多かった。対して塚本監督版のほうは、まさに見事な天然色のフィリピンの自然と、「戦場での身体」がくっきりと映される。皮膚に群がる山蛭や蛆虫、吹き飛ばされる腕や足、とび出る内臓、目の前の命が一分後にあっけなく亡くなる様、見渡す限りの累々たる死骸など、市川版やそれまでの数多の戦争映画で「免疫」があったぼくですら、塚本版『野火』は本当に衝撃でした。「問題を提起する作品」という意味でまさに「問題作」だとも思いました。市川版では描かれなかった「人肉喰い」も原作に忠実に描かれましたね。映画館に足を運ばれた方々の受け止めや感想はどのようなものだったのでしょう。

塚本　全国のミニシアター40館が、最初手を上げてくださって、その後80館を超え、さらに館数を伸ばしています。私も極力その映画館に足を運んで、そこにいらした観客のみなさんと対話する機会に恵まれました。上映後に感想を伺うんですが、それはすぐに出てこない。しかし、やがてポツリポツリ語り出され、時には、年配の戦争経験者がご自身の体験をお話しくださったり、自身の感想は言えないけれど、身内の戦争体験者の経験を語ってくださる方がおられました。先ほどあげられた『ゆきゆきて、神軍』のなかでもたしか同じような表現が出てきたと思いますが、「白人は白豚、黒人は黒豚と名づけて、敵は本当に普通に食べていた」とか「うちの親父は、食べたということを教えてくれた。普通に食べていたと言っていた」「自分の属する部隊はさすがに感情移入するから避けたけれど、他の部隊の人の肉なら食べた」、あるいは「身内がフィリピンに行って帰還したが、一切戦争のことは語らなかった。その背景にはこういう事実があったのですね」とおっしゃられた方もいました。

ちなみに、海外の反応では、「映画の最後のほうの、人が人の肉を食べるなんて、それはいくらなんでも大袈裟でしょう、あれはないですよね」とか「あそこはＳＦでしょ?」というものも結構ありました。けれど、フィリピン戦線で戦われた方の話を伺うと、人肉喰いは、一部ではなく、ざらにあった、ということでした。

菅間　その人肉喰いの話は、大岡の『野火』では、〝猿の肉〟とされ、『レイテ戦記』では最後のほうの「カンギポット」の章で触れられていました。お伺いしていると、本来なら日本の近代史を学ぶ教室で行われてしかりのような、戦争・戦場のリアルな現実について、参加者のみなさんが映画上映後、お互いにさらに深め合う、学び合う場になっていたことがよくわかります。

そしてその「事実」をズームアウトしてみると、歴史学者、軍事史研究者の藤原彰氏が『餓死した英霊たち』（ちくま学芸文庫）で明らかにしたように、5～6割の日本兵は餓死である、という歴史的事実を裏打ちしています。藤原氏によれば、フィリピンは、アジア・太平洋戦争で一番戦没者が多い場所で、投入された61万人のうち50万人が戦死していて、実に81パーセントに上る、と。

塚本　映画『野火』では、これでもか、これでもかと数々の理不尽、不条理が起きます。それでも、私が戦争体験者に聞いた戦場描写は、本当はあんなもんじゃないんですね。表現、再現が不可能なもの、語りえぬもの、それが戦争だと思うんです。だから、帰還兵のみなさんも「語らない」のではないでしょうか。

●―戦争と「身体性」

菅間　おっしゃる通りだと思います。しかしそれでも、できうる限り戦場をリアルに描こうとしたのが映画『野火』でした。そして、その制作にあたっては想像を絶するような困難を極めたのではないかと思います。先ほどの塚本さんの著作や各インタビューを拝読すると、『野火』完成までの道のりは本当に平坦ではなかったことがうかがえます。最初は「自撮り」を考え、「アニメ版での制作」を構想したり、スタッフをツイッターで募集したり、と。とても一言では言えないと思いますが、そのあたりいかがでしょう。

塚本　そうですね、本当にいろんなことがありました（笑）。若い頃は、お金もかけてきちんと壮大なスケールで、有名な役者さんを使って原作『野火』の世界を描こうと、主に外国で出資を求めていました。できるだけ多くの人に映画を観ていただきたかったものですから。しかし、それはまったくうまくいきませんでした。そして、先ほどお話ししたように40代になって、本格的に映画づくりに着手しようと思って、それまで私の映画に理解のあった映画関係者何人かとお会いしました。けれども、「その企画、煙たい」「その話はしないで、別の企画の話にしましょう」という雰囲気に満ち満ちていました。なかには「冗談言っているんじゃないよ」的なものや、理路整然と、そういう映画はダメだよ、と諄諄（じゅんじゅん）と私を説き伏せてこられる方もありました。もちろん、私はまったくめげなかったんですが、つまりそれは、お金の問題ではまったくなく、「中身」の問題だったということです。ああ、そうなのか、という感じでした。

菅間　それは興行収入が見込めないからなのか、それとも人肉喰いを含めたリアルな戦場を主題とした、過去の日本の戦争の暗部を描く内容だったからか、どちらなんでしょう。

塚本　うーん、両方だったかもしれません。でもどちらかといえば、自粛的な感じや、そういうものを取り上げるのは不謹慎みたいなムードのほうが強かったのかなと思います。

菅間　ナチス・ドイツを取り上げた映画との対比でいつも考えてしまいます。ぼくは、ナチ支配を取り上げた映画もかなり観ているつもりですが、今でも毎年、日本においても数本のナチ関連の映画が上映されています。先月も『ちいさな独裁者』という映画を観ました。実話をもとにつくられたのですが、これも正視し続けるのがつらい作品でした。翻って、日本では、過去の「加害」「戦場経験」を主題に据えた映画を観ることは本当に難しい。

ところで、NHKテレビ『100分de名著 野火』で指南役を務めた島田雅彦さん（作家・法政大学教授）はそのテキストのなかで塚本さんをこう評しています。

「塚本晋也は、肉体の変容や身体のリアリティといったことを強烈に意識する映像作家であり、（中略）テクノロジーの進化と引き換えに、取り返しのつかないほど本能の崩壊、身体の退行、知性の幼児化が進行していることへの危機感を人一倍強く抱いている」と。その視点は、ぼくは映画『野火』にも通底するものがあると思います。

「兵士の身体性」という点で関連して言いますと、２０１８年の新書大賞にも選ばれた『日本軍兵士』（吉田裕：一橋大学特任教授・歴史学、中公新書）という本があります。ちなみに、吉田さんは、藤原彰門下です。現時点で異例の15万部を超えているというこの本はまさに、兵士目線、兵士の立ち位置で細部が描かれています。戦地では、歯磨きを一度もしたことがなかった、故に虫歯が蔓延したとか、多くの兵士が水虫に悩まされたなど「身体」にこだわった記述が多く見られたのが特徴的でした。戦国武将のフル装備でも20キロくらいあるのに、日本軍兵士はなんと平均30キロ装備だったという。たしか、三八式歩兵銃は4キロくらいの重さがあったと記憶しています。それを、飢餓状態のなか、ジャングルで背負い続けるわけです。本のなかで吉田さんは、日本軍兵士の死を「特異な死」であるとして、戦病死、海没死、特攻死、自殺／処置の四つをあげられ、そのなかでも最も大きな比重を占めるのが「戦病死」、つまり実質的には「餓死」だと書いておられました。

塚本　そうですか、それは知りませんでした。とても面白そうな本ですね。今度読ませていただきます。

菅間　日本軍兵士の身体ということでさらに言うと、塚本さんは、昨年ＮＨＫ・ＢＳのドキュメンタリー『小野田さんと、雪男を探した男』で、小野田寛郎少尉を演じられた。あの番組のロケは本当にフィリピンだったんでしょうか。それはともかく、小野田さんはフィリピン・ルバング島から１９７4年に帰還されますが、子ども心に衝撃的な映像でした。また、大人になってから、小野田さんが陸軍中野学校出身であるとか、いろんなことがつながってきました。あと『野火』の田村一等兵であれ、小野田少尉であれ、いったん軍服に袖を通すと、今、目の前におられる穏やかな塚本さんが、眼光鋭い形相を含めて本物の兵隊らしく見えてくるので不思議です。田村役の時には、10キロ近く体重を落とされて撮影に臨まれたのですもんね。あ、俳優さんに失礼な物言いになってしまったらすみません。

塚本　いやいや、全然そんなことないですよ。ちなみに、あの番組のロケは、たしか沖縄でした。

軍服って結構、機能的にできていて、シンプルで着心地はとてもよい。変な話ですけど、大工さんが着るような作業着のイメージですね。戦うための服装を極限まで追い求めたのが軍服なのかな、と。『野火』の時も、スタッフとキャストを行ったり来たりするんですけど、すごく動きやすかった。ちなみに、『野火』の時の三八式銃は、本物ではなく軽いやつで、持ち運びは楽だったんですが、その小野田さん役の時は、本物のズシリとした重さで、これはかなり重かったですね。銃を構えて、相手役の青年に銃口を向けながら台詞を言う場面があるんです。だけど、重くて手がプルプル震えちゃうんですよ（笑）。これだとカッコ悪いので、スタッフさんに、「（野火の時のような）軽いやつを使わせてくれませんか」とお願いしたら「いや、こちらで」って小道具の人に言われたので、仕方なくリアルな重さのやつで撮影に臨みました。

だから、先ほども言われましたが、灼熱地獄のなかで、ろくに食べるものもなく、ものすごく重い荷物を背負って、いつ殺されるかわからない緊張状態がずっと続く……想像を絶する世界です。

そうそう、思い出しました。これも先ほど地名が出ましたが、カンギポットという山があって、最後はあそこに兵隊がみんな逃げ込んで、多くの方が亡くなられるわけですが、映画撮影の時に助監督さんと、「ちょっと、せっかくだから登ってみようか」という話になったんです。それが運のツキで、全然「ちょっと」どころじゃなかったわけです（笑）。ほんの少し歩いただけでも息が切れて、はーはーしてきて、滝のような汗が吹き出てきて、それはもう本当に大変でした。登りも大変でしたが、下りになると疲れがどっと出てきて、意識も朦朧として何度か転びそうになったんです。体のバランスを失って、ふと気づくと目の前に木の小枝が刺さるくらいに近づいている、なんてこともありました。一瞬気を抜いたら大事故に、という危うい場面でした。でも、言うまでもなく私たちは、身の安全が保障され、お腹も満たされた状態で山を登ったんですね。だから、当時の状況を追体験したなんて到底言えないと思っています。

●戦争を伝え、つなぐ「係」として

菅間　少し話がそれるかもしれませんが、漫画『ペリリュー』（武田一義他、白水社）をご存

知ですか。１巻の発行は、２０１６年の8月5日です。今、７巻くらいまで来ているのかな。先ほどの吉田裕さんも「存在は知っているけど、まだ読んでいない。ぜひ読んでみたい」っておっしゃっていました。ぼくもじつは知らなくて、生徒に教えてもらったんです。「菅間さん、これ知ってる?」ってこの漫画を持ってきた。で、その生徒が新刊が出るたびに貸してくれるんです。連れ合いも読みたいと言うので、生徒に借りるたびに夫婦で読んで、感想を交えてすぐ生徒に返す、これをくり返しています。昨年、ＮＨＫの朝のニュースでも大きく取り上げられていました。

見てもらえばわかるんですけど、本当にかわいらしい画風で、しかし戦場をリアルに描く、という試みが行われているんですよね。戦闘時期は、フィリピン戦の１カ月くらい前です。この漫画で、戦争での死亡を美化して家族に送る係がいることをぼくも初めて詳しく知りました。戦争って、多少知っているつもりでも、知らないことがまだまだたくさんある。そして、こういうメディアで若い世代に伝えていくのも必要なのだと改めて思わされました。

塚本　いや、これも私は知らなかったですね。漫画という手段もとてもいいと思いますね。じつは『野火』のアニメ版を構想した時には、こんな感じでかわいいキャラクターを考えたこともありましたので。これから先、本当に戦争を、戦場を経験された方がおられなくなりますが、どうやってあの体験を次の世代に伝えていくのかというのは、私たちの世代に課せられている大事な課題だと思います。私くらいの世代がまさにギリギリの世代で、だからこそ想像力に頼る前に、戦場体験者の声を聴き、戦争文学を伝え、次世代につないでいく「係」としてこれからもやっていかなくてはいけないと自分に言い聞かせています。

菅間　戦争につながるものを一つひとつ、丁寧に拒んでいく、そういう作業もそのなかに含まれているのかなと思います。今年、米ホワイトハウスのウェブサイト上で、県民投票まで辺野古の埋め立て工事中止を求める電子請願署名が行われ、20万筆以上の署名が集まりました。タレントのローラさん、英国のロックバンド、クイーンのブライアン・メイさんも賛同を呼びかけ、話題になりました。これに、塚本さんも賛同されました（『週刊金曜日』２０１９年１月18日号）。ぼくもそこに署名をさせてもらいました。

それと、これも塚本さんに直接お伝えしたかったんです。ＮＨＫテレビの『１００分de名著』で『野火』が取り上げられ、指南役は島田雅彦さんが務められた話は先ほどしましたが、その最終回で、島田さんとともに塚本さんも出演されました。「言いづらい世の中になったけれど、疑問があったらノーをいうことが大事」と塚本さんもおっしゃられるなど、とてもよかったのですが、ＮＨＫに残されている大岡昇平のアーカイブ映像も映し出され、それがすごく胸に迫りました。大岡は言います。「政府が勝手なことをすることに対してノーを言うのが文学者の役割だ。俺は言うねぇ」と。また、戦後10年余りたった１９５８年、比島に遺骨収集船が出航する報に触れて、大岡は一編の詩を作るんですが、それが紹介されました。こういう内容でした。一人ひとりの仲間の兵士の名前をあげた後、こう続きます。

「……一つ頼みがある。一つ、化けて出てくれ。また兵隊なんて嫌な商売を作ろうとしている奴のところに化けて出てやってくれ」(『作家の日記』)と。この9年後、大岡は『レイテ戦記』を書き始めますが、現在にも、いや現在にこそ響く言葉です。戦争経験の継承やその表現ということに関して、何かお考えがあればお伺いしたいのですが。

塚本　とても大切な問題です。ただ、戦争体験を聴くとか、伝えるとか、あるいは本から学ぶというのは、若い人から見ればとっつきにくいというか、やはりハードルが高いと思うんです。難しい、暗い、あるいはお勉強というイメージが先行してしまう。「大事かもしれないけど、後回し」みたいな。私自身も小さい頃はそんな感じだったので、それはそれでよくわかるんです。だから、伝えるほうも、どうやったら伝えたい相手に届くか、興味を持ってもらえるかという工夫が大事になってくるのではないでしょうか。

ちょっと不謹慎かもしれませんが、映画『野火』のとらえ方の一つに「お化け屋敷」的部分、ホラー映画的な把握があったと思うんです。「これって、すごい怖いらしい」って。そして現に怖いわけです。しかし、ただ怖いだけの映画ではない、何か大事なことを訴えているんじゃないか……若い人にはそんなところからでも入っていただけたらと。だから、この『ペリリュー』、とてもいいと思います。一見、入りやすいエンタメ風なんだけど、入ったら、いろいろ考えさせられた、という感じで。その点で言えば、映画『この世界の片隅に』も、当時の人々の生活をリアルに描いたことや、遠くの空の空襲があったかと思えば、自分の足元に突然機銃掃射があるとか、アニメならではのアプローチの仕方でとってもよかったと思います。

●―「戦争はよくない」は「偏向」ではない

塚本 それと『野火』に戻りますが、この作品は「ＰＧ12」（小学生以下が視聴する場合、保護者の助言・指導を必要とする）で、小学校６年生以上の方は観られるんです。ある中学生は、映画が衝撃的で、実際にフィリピンにまで行って、現地の人に話を聴いたというんですね。これには本当に驚きました！

その彼に花束をもらったんですが、その時は本当にうれしかったですね！　ああ、つくってよかった、届いたんだって思いました。

菅間 そうですか……それもすごい話ですね。最後に、本誌の主な読者は教員ですので、塚本さんからメッセージをお願いできますか。

塚本 いやいや、そんな。一生懸命頑張っておられる学校の先生方に、私なんかが何を言えることがありましょう。本当に私なんて、ただただ映画を撮っているだけなんですから。

菅間 どんなことでも結構です。ぜひお願いします。

塚本 そうですか……。では、逆にお伺いしたいのですが、今、先生方は、授業を行ううえで、どんな点でご苦労なさっているんでしょうか。

菅間　例えば、今日の話題に引きつけて言いますと、最近は、近現代史の授業でも現代社会や政治・経済の授業でも、教師が「偏ってはいけない」というまなざしや声に過度に縛られていたりとか、実際に、「授業ではこのようにしなくてはいけない」という標準や型が押し付けられているようなところもあります。過去の戦争をどう扱うか、ということは、世情と密接に関係しているところもありますので。

塚本　そうですか。でも、「戦争はよくない」と伝えることは偏っていることになるんでしょうか。私は、それは「偏っていない」と思うんです。例えば、ちょっと極端ですが、『野火』を観て、戦争とはこのように、かくも悲惨なものなのだから、やはり軍備は必要だ——もちろん、私個人の思いはそれとは別のところにあるんですけれど——という感想を持つ生徒さんもいるでしょう。しかし、戦争を正面から取り上げることはとても偏っているとは思えません。やり方の点で言っても、「問いかける」というふうにしていけば、何の問題もないんじゃないかと考えます。一方的に、教師の意見を押しつけるのではなくて、事実に基づいて、ある方向性を指し示して、じっくり考える。そういう授業をしてほしいと思います。それがとても大切なんじゃないかと思います。

菅間　映画『野火』ほどのパワーと迫力ではないかもしれないけれど、教育の現場で、ぼくたちが時代状況をしっかり見すえながら、子ども・生徒たちに問題提起していくことの重要性を最後にご指摘いただきました。今日は長時間ありがとうございました。

三上智恵さんに聞く

弱者の目線に立って権力を監視する――それがジャーナリズム

――沖縄戦を原点に世界を読み解く

みかみ・ちえ

1964年、東京都出身。ジャーナリスト、映画監督、ドキュメンタリー映像作家。成城大学卒業後、1987年に毎日放送（MBS）にアナウンサーとして入社。琉球朝日放送（QAB）に移籍後は、ニュースキャスターを担当しつつ、沖縄の歴史・社会問題をテーマにドキュメンタリー番組の制作に携わる。2013年、『標的の村』を映画化し劇場公開、テレビ版と合わせて18の賞を受賞。2014年、フリーに転身し『戦場ぬ止み』（2015年）、『標的の島　風かたか』（2017年）を発表、沖縄の問題を伝え続ける。2018年、『沖縄スパイ戦史』（大矢英代と共同監督）を公開、文化庁文化記録映画部門優秀賞・キネマ旬報ベストテン文化映画部門1位を獲得。著書に『証言　沖縄スパイ戦史』（集英社新書）。

収録は7年前、当時三上さんが勤務されていた、琉球朝日放送（QAB）近くの喫茶店で行った。三上さんは現在、映画監督や文筆活動など多岐にわたって活動されており、どの分野も超人的な活躍をされているが、個人的には、三上さんは講演がすごい！ と声を大にして言いたい。元アナウンサーという経歴に、文化人類学などの学問的蓄積が加わってのお話は、まさに「鬼に金棒」で、パッションとパワーにおいて群を抜いている。インタビュー時も、そのあふれる想いはとどまるところを知らなかった。約束の時間を気にする私を尻目に、収録しきれないたくさんのお話をしてくださった三上さん。その想いを受け取った私たちの行動が問われている。

（2013年4月20日　インタビュー）

●──沖縄情勢をどうとらえるか

菅間　三上さんは、１９９５年の琉球朝日放送（以下、ＱＡＢ）開局以来、日々ニュースキャスターとして活躍される一方、長年、優れたドキュメンタリー番組「テレメンタリー」の制作に携わってこられました。思いつくままに挙げても、印象に残る特集がいくつもあります。辺野古の基地反対運動を取り上げた『海にすわる』『狙われた海』『人魚の棲む海』、沖縄の靖国訴訟を取り上げた『英霊か犬死か』、そして高江のヘリパッド工事反対を取り上げた最新作『標的の村』などです。また、それらの多くが様々な賞を獲るなど、高い評価を得ています。

ぼくは、いつの頃からか、「テレメンタリー」の沖縄発の優れたドキュメント番組のスタッフ名に、必ずと言っていいほど〝ディレクター・三上智恵〟の名前があることに気がつきました。ですから、２０１０年、２０１１年冬の都内で行われた講演会にも足を運び、お話を伺わせていただきました。そしていつか、三上さんにインタビューをしたい、かねがねそう思ってきました。

辺野古基地建設の申請強行やオスプレイ配備のニュースは報じられているものの、依然として「ひとごと」「表層」的報道に終始しています。日本ジャーナリスト会議の機関紙『ジャーナリスト』の６５５号で、三上さんはオスプレイの問題についてこうおっしゃっています。「今回の配備強行は17年に及ぶ政府の欺瞞の象徴であり、１４０年を経てなお、沖縄問題は軍事的植民地の棄民政策でしかない」と。まずは、この沖縄情勢をどうとらえていらっしゃるか、というあたりからお話を伺えればと思います。[1]

三上　私は「辺野古の基地がつくられたらすべてが終わりだ」と思っていて、今とても焦っているんです。それもあって、『標的の村』の映画化を、8月公開めざして頑張っています。[2]あの作品は賞もいただきましたが、地方局が頑張って1時間の番組をつくっても全国放送すらできない。国策に真っ向から反目する内容だからきついのかもしれませんが、全国に伝えなければ意味がないんです。

ただ、『海にすわる』は、8000部くらい違法コピーされているらしいです。もちろん放送法上、それはダメなんです。でも一方ではそれを知ってほしくてしょうがないし、世界中の人に観てほしい気持ちもあります。特に英語版がたくさん出て、5000部くらいだそうです。世界中の、基地反対の平和ネットワークがあって、この人たちがコピーし、地球のあちこちに散らばっています。

そもそも、辺野古問題を扱っている映画やテレビ番組はあまりありませんでした。今までの経緯も含めてわかるものは、テレビでは『海にすわる』が唯一と言っていいでしょう。『標的の村』も一回映画化されれば、その後は自主上映で広げてもらえる。さらに、DVDになれば買った人が自由に使える。とにかく、できることをすべてやらないと間に合わないと思っています。辺野古の埋め立ては、たぶん9割方止められない地点まできてしまったんですけれども、でも1割、かすかな可能性でも、まだもしかしたら……という思いがあります。

やや手前味噌ですが、『海にすわる』や『標的の村』は、すごい力のある映像だと思います。それは、登場する人たちにすごい力があるから。もう亡くなってしまったおじい、おばあも、魅力的な人がたくさんいます。問題の本質が多くの人にわかってもらえる内容です。

少し前置きが長くなりました。ここからが質問の答えです。

オスプレイに対しては「事故が多いから」「頭上を飛ばせたくない」という意味で反対しているわけではないんですが、単にそう思っている人がたくさんいます。80年代には普天間へのオスプレイ配備が米軍の文書にも出てきますが、米軍は、狭い普天間では飛ばせないということが最初からわかっていました。でも1995年に暴行事件が起きて、沖縄県民が怒って、知事が基地の提供を拒否して、このままでは日米安保が維持できない！　ということで、普天間の返還が決まったというストーリーができあがる——今までずっとそう報じられてきたんですが、10年くらいかけた調査報道でようやくそのからくりがわかってきました。私たちはまったく踊らされてきたんです。

SACO（沖縄特別行動委員会）は、少女暴行事件後の翌年の1996年に、委員会として最終報告を出します。そこでは、普天間返還はまるで「沖縄県民のために」進めるということになっていました。でも、じつはSACOは1995年の1月にすでにワーキンググループが開かれていたのです。だから暴行事件に関係なく、普天間基地移設やオスプレイ配備は決まっていた。それを、まさにあの事件をテコとして、進めたのです。

『海にすわる』に出てきますが、もともと１９９６年の米軍のプランに大浦湾軍港建設がありました。海兵隊が使える、滑走路とセットになった軍港施設がどうしても欲しかった。でもその当時、ベトナム戦争でお金がなくなりあきらめたものが、今度は日本のお金でつくってくれるというので米軍は願ってもない展開になった。自分たちが起こした暴行事件をも利用した。それが普天間移設という名の辺野古基地建設の正体なわけです。

１９９７年頃から私たちは、当時の計画図や、断念の経緯、オスプレイ開発計画、様々な資料を積み重ねて「結局、普天間代替施設という名で、辺野古に未熟な輸送機オスプレイの基地と軍港を作るのでは？」と告発してきましたが、最終的にはやっぱりオスプレイが来るんだと。しかも、これも２０１２年に報道したんですが、ＳＡＣＯ合意の時の日米交渉の実務担当をした防衛省の防衛研究所所長の高見沢將林さんが米軍とやりとりした「高見沢文書」には、ＳＡＣＯ最終報告にオスプレイをどう書き込むかについて散々書かれているんです。つまり、アメリカは「早くオスプレイのことを公表してくれ、ＳＡＣＯに入れてくれ」と言っている。だけど、防衛省・日本政府のほうがまだ説明していない。沖縄に聞かれたらこう説明するという想定問答集まで残っているんです。

「高見沢文書」が明らかになったのは、いわゆる「ジュゴン裁判」でした。２００４年くらいにそれが公になった頃、高見沢さんは国会の証人喚問で追及されています。「あなたは、その時からオスプレイ配備計画を知っていたんですよね。なのに環境アセスメントにその事実を入れないのはどういうことなのか」と。だけど、おかしいことに、沖縄含めて誰も報じないんです。

ＱＡＢがわずかに報道したくらいで、沖縄県民の共通認識にもなっていない。米軍は好きな時に、好きな場所に基地を置くことができるので、そのとおりにしているだけなのでしょう。けれど本当に口惜しいのは、日本政府がまったくそれを止めないばかりか、沖縄を騙す役割をずっと果たしてきたことです。ずっと「オスプレイは来ない」と嘘を言い、「やっぱり来る」と。ここまでバカにされて、暴行事件という沖縄の人にとっての共通の傷を利用して、いま何事もなかったかのように飛んでいるオスプレイ。これを押し返せなかったら辺野古の埋め立ても押し返せないだろうと思っています。

菅間　２０１２年秋、オスプレイの普天間配備が強行された時に、民衆の座り込み反対運動が起こって普天間基地を囲い込み、閉鎖・封鎖をしたオキュパイ・フテンマが起きていました。しかし、これも「本土」では、まったく報道されませんでした。

かくいうぼく自身も知らなかったのですが、その冬に東京で行われた三上さんの講演で、『標的の村』50分特別版のなかで、そのリアルな映像を観ました。文献では、『普天間を封鎖した4日間』（高文研）がほぼ唯一のものでした。マスコミはあの歴史的事件を完全に黙殺しましたね。

三上　オスプレイは来てしまっていますが、あれ以降、毎日毎朝、プチ閉鎖は続いています。特に、野嵩（のだけ）ゲートと大山ゲートでは一日も欠かさずやっています。ただ、県民も知らないんですよ。いつも同じ人、おじい、おばあたちがやっているというくらいの意識しかない。しかし、米兵の出勤する車を遅らせ、立ちふさがったりする、あの普天間封鎖の意味は、すべての起点でもあります。

普天間基地は、無理やりつくられて、街のなかにずっと居座って、異常な飛行時間が続き、事件事故が続発する。そのたびに文句を言っても、絶対に動かず、沖縄県民はずっと我慢していました。そして、今度は「辺野古に基地をつくらせないんだったら、オスプレイは普天間に持ってくるぞ」と脅してきているわけです。

それに対して「そこまでするなら、もともとあそこは先祖の土地だ、返してもらおうよ」という根本のところを訴えているのが、普天間基地封鎖です。普天間のなかには米兵は住んでいないので、みんな出勤してきます。メインゲートが3つあるのですが、そのゲートを封鎖してしまったら、彼らは外にも出られないし、出勤もできない。海兵隊のメインの基地が封鎖されてしまったら機能しない。「沖縄県民が怒ったら、普天間は使えなくなるんだぞ」という、抵抗の意思表示を示すのが最大のねらいなのです。あの普天間封鎖で、完全封鎖もできるんだということがわかりました。

でも、今度はいつ誰がやるのか。辺野古の反対運動も、いろんな事情があって『海にすわる』の時のような反対運動は構築できません。前のように海の上から止めることは地形上できないのです。米軍提供区域になっているので、キャンプシュワブのなかから埋め立てていった場合に、海すれすれのところに入っただけで逮捕されてしまう。そのまわりの50メートルの幅の部分に入ったら撃たれても仕方がないという規定がありますから、外から埋め立て工事を止めることはできない。パフォーマンスで近づくことくらいはできるけれども、そこに入ったら、止めるよりも先に拿捕（だほ）される。だからキャンプシュワブの国道から入るところで座り込んで止めるしかないんですよ。

実際それはもう1回、経験済みなんです。兵舎の移動とか滑走路の埋め立ての前に必ずやらなければならない考古学調査があるんですが、それも進めてもらうわけにはいかないとおじい、おばあたちが座り込んでいたんです。その時はまだすごい人数でしたが、何人か車の下に潜り込んで逮捕者も出る大騒ぎになった。

実際に止めるのも、遅らせるのも、今やっているのは非暴力だけれども、実力行使ですよね。その実力行使までいくと「ついていけない」という人たちが出てきます。かといって法律に則った阻止行動をしろと原則を叫んでも空しいです。だって法を守れというなら、その前提となる民主主義が機能しているのか。沖縄という小さな地域の少数者の意見をまったく無視した結果、民主主義的に物事を変えていくのはもう無理だという結論が出ている。そういうなかで法を犯すなと言われても、「もし自分の家の庭にオスプレイがやってきても、泣き寝入りするしかないのか?」という話です。「国のために犠牲になれ」と黙殺されるとしたら「日本中のあなたたち全員が加害者ですけどいいですか?」と問い返したくなるのではないでしょうか。

「国防」のためにこんなに泣いている人が一地域にいるのに、それでも、その安心の上にあぐらをかいて今日も枕を高くして寝られるのか? そういう国民がすべてなのか? いや、そうではないと思うんですよ。伝わっていないんだと思うんです。

17年間かけて、結局、アメリカの思う通りに辺野古に基地がつくられる。それは普天間が返ってくるためではなくて、オスプレイのために最初からアメリカが望んでいたものを、しかも軍港までおまけにつけて、全部日本のお金でプレゼントする……。結局、復帰なんてしてなかったということです。〝返還〟って、軍政下からの解放が基本でしょう。それなのに……私たちの報道はオスプレイの飛来を遅らせることもできないし、次にまた来るという12機を止めることもできない。もう八方塞がりです。

メディアの不勉強と体(てい)たらく

菅間　あたかも、米軍基地がたくさん返ってくるかのような報道がされている〝嘉手納以南の基地返還〟というのも、まったくまやかしですよね。

三上　この問題も、東京の記者は本当に不勉強です。嘉手納以南の返還は別に今回決まったことではなく、２００６年の再編時に合意していたのに、ただ辺野古の移設とパッケージだったから進まなかっただけの話です。２０１２年４月に民主党政権が、パッケージをばらして先に返還を個別に進めると言ったんですよ。「先に飴でも食べさせておけばいい」「そうさせておいて、反対する能力を奪え」というのもひどいけど。その後に政権は交代して、自民党政権はやすやすと、やっぱり辺野古とセットに戻した。だから、悪くなっているのに、なんだか政府もちゃんと考えている、みたいに報道されました。「条件を満たせば返ってくる部分もあるよね」と。まさに騙されまくりです。だって、どの返還も、移設など条件がついているのですから。しかも返還のめどの日時が記されたことを前進のように報道したけれど、「○年度またはそれ以降」という記述でした。つまり、「あなたが50歳になった。それ以降に庭付きの豪邸をあげる」って言われるような話です。50歳かと思うけど、それは80歳かもしれないし、その前に死んでしまうかもしれない。なのに、もらえるんだという欲の部分だけは刺激され続ける。そんなひどい合意だったのに、正確に読み説いているメディアは少ないのです。

菅間　先日（２０１３年４月）、官房長官が沖縄のテレビや新聞社などのメディアを次々に訪れて、話をしました。

三上　各局をまわるというのは異例のことだし、絶対断るべきだったんです。小池百合子氏は「沖縄のメディアが敵だ。あれは県民の意思を反映していない」と言いましたが、新聞は大多数の意見を反映するものではないんです。新聞はじめジャーナリズムは、権力の監視こそが仕事です。いま起きている事象を、弱いものの目線に立って読みといていくものです。「大多数の意見はこうです」と書き続けることなんて意味がない。たとえ、全員が騙されていても、そうではないという意見を自分たちが言ったり、書いたりし続けなければいけないと思います。
こんなに反対している沖縄のメディアでさえ利用されるし、歴史的に読みこんで伝える能力がものすごく低くなっていると思います。政府発表を、落とさないように慌てて夕方のニュースに間に合わせるということに汲々としている。

菅間　たしか昭和天皇が死去した時は日本全国「崩御」一辺倒の報道でしたが、「琉球新報」と「沖縄タイムス」は「逝去」と書きました。また、琉球放送が天皇の戦争責任に迫った「遅すぎた聖断」という優れたドキュメント番組をつくったと記憶しています。こういう伝統や反骨性は健在なのでしょうか。

三上　18年前、沖縄で仕事を始めた頃はそういうものも感じましたが、今はどうでしょう。
辺野古がらみのことで言えば、名護漁協がなぜ基地を容認したのかとよく聞かれます。40人のうち2人は反対したけど、どんな人たちが反対したのかとか、漁業収入だけでは暮らしていけないのかとか。これもまんまと政府の手に乗っているんです。埋め立てを申請する時には、名護漁協の了承なんて別にいらない。許可を出す時までには意向を聞かないといけないのですが、漁協が容認しようがしまいが、それで知事の何かが変わるわけでもないんです。それよりも、最初から基地容認の立場だった名護漁協に基地を受け入れると先に表明させることで、沖縄の基地反対は一枚岩ではないという演出に持ち込まれたのだと思っています。

私は、辺野古で反対運動をずっと取材していて、辺野古で基地容認をしている人たちに対して、最初は納得できないなあと思っていたんです。でも、容認派の人たちはずっと見てきたんです、伊佐浜が獲られ、伊江島が獲られていくのを。どんなに反対しても圧倒的な暴力によって奪われていく。そして、基地と折り合っていくしかない、という結論に達する。最後まで反対したら、何ももらえないぞ、と。

私やQABが新基地建設に反対する人たちばかり取材するからと、辺野古では嫌われました。でも、私は区の行事も大事に取材するし、何度も来るもんだから、容認派も人情ある人ばかりですから、2、3回行ったら、もう「来い」「刺身食え」って(笑)。やっぱり彼らは彼らで、ものすごい正義も、男気もあるんですよ。

『狙われた海』は、なぜ漁業者が反対できなくなったのかという切ない部分を描いたものです。60年代半ばくらいに、サンゴ礁を砕き軍港を作るために大浦湾が爆破されたことがあったんですよ。それで、こっちが軍港になるっていうことで、大浦湾の周りの漁業者——多くても40人くらいしかいなかったんですけど——この人たちが反対運動をした。これもみんなが知らない話なんです。あの時は反対したけど、なぜ今反対できないのか、というのがテーマです。

●──取材を通じての出会いと葛藤

菅間　先ほどもふれた、『標的の村』の50分特別版のなかで、そこに高江のヘリパッド建設をめぐるスラップ訴訟（国から運動へかけられる嫌がらせ・圧力の訴訟）で訴えられた被告・ゲンさんの娘、小学生のみづきちゃんの姿がありました。その映像のなかで彼女が「お父さんとお母さんが頑張れなくなったら、私が引き継ぐ。私は高江をあきらめたくない」って言っていた。この場面を入れるか入れないかで、三上さんはものすごく葛藤されたとおっしゃっていましたね。このあたり、もう少し詳しく伺えますか？

三上　みづきちゃんに最初に会った時、彼女は5歳で、いがぐり頭でお兄ちゃんと遊んでいて男の子だと思ったんです。映画には全然入れられなかったシーンなんですけど、側溝の泥を手でドドッとトンネルみたいにしてね。もう、本当どろどろでね、家に帰ってきたら、私なら家に入れないだろうなみたいな（笑）、天真爛漫で無邪気な子。その子が訴えられたんです。もちろん、顔は出さないでほしいと地域の大人たちも思っていたし、私も彼女の人生に負荷をかけたくありませんでした。けれど、いよいよ高江がやられるという段階になり、彼女も12歳になった。私がご両親に相談したら、「三上さんなら大丈夫よ」と言ってはくれましたが、嫌って言えなかっただけかもしれないですし……。

私たちの仕事はどう美化してもいやらしい仕事でね。注目を集めるなら、とことん集めないといけない。集めるためには視聴者を引き込まないといけない。あれもダメこれもダメ、誰も傷つけたくない……と考えて、その結果、インパクトのないものになってしまうのなら、それはつくらないほうがましです。だから、遠慮して取材して何も伝わらないよりは、たとえ当事者とトラブルになるのを覚悟してでも踏み込んでいい場面を放送するほうが、実際に何万人にひろがっていくということがある。私も人に恨まれたくないし良い子になりたいけど、それならジャーナリストなんてやらなければいいと思うんです。彼女を傷つけていい権利なんて絶対にないはずだけど、彼女の持っている力に賭けたいという気持ちがある。

少女暴行事件の被害者も、6年生の沖縄の少女でした。多くの人が高江のみづきちゃんをどこかダブらせるだろう。日々懸命に生きている目の大きな少女の姿は胸に刺さります。でもね、時には、傲慢すぎやしないか、そんなことをする権利あるんだろうかとか、当然、葛藤はありますよ。いまだに結論は出ません。

この仕事は、本当に人の人生を変えてしまったりするんです。だから彼女をあのように取り上げたことで、もしかしたら一生闘わなきゃいけない人生を強要しているのかなと思う。けれど、みんな誰かの影響を受けて何者かになっている。そのきっかけをつくった人を恨むこともあるだろうけど、その逆もあるのだと思います。

●―私と沖縄

菅間　沖縄を描く一つひとつの仕事に賭ける思いと葛藤がとても強く伝わってきますが、ここまで三上さんを駆り立てる、その根っこにあるものは何なのでしょう?

三上　高江とか辺野古の問題は、その人たちのためにいるのかといったら、それだけではないんです。じつは私の原点は沖縄戦なんです。「1フィート運動の会」の代表の中村文子(ふみこ)さんが私、大好きなんです。彼女を取材した時、こう言っていました。

自分の同郷の本部(もとぶ)の女の子二人を小学校の教員として一生懸命教育して、師範学校に合格させ、田舎から二人も優秀な生徒を那覇に送りだしました。だけど戦争になります。文子さんは、彼女の夫の都合で神奈川県で終戦を迎えますが、まさかそのひめゆり学徒隊があのような目に遭っていることはわからないわけです。

沖縄は全員死んだと聞いて戻ると、事実、ハルコさん、ノブコさん二人とも戦死していた。だから、文子さんは軍国教師だった自分を責め、いつも二人への贖罪のために生きているんです。ひめゆり資料館に行ったら、そのハルコさん、ノブコさんは隣同士で並んでいます。文子さんはよく夢をみると言います。あの世に行って二人に会う時に「まだ基地あるのよ」と言っている自分の夢を。そこで、ハッとして起きるんです。だから、二人になんとしても「基地なくなったのよ。あのあとも基地がしばらく残って戦争の影があったけど、もうなくなったのよ、私、頑張ったのよ」って言いたい。だから、90歳になってもこのままでは死ねないって言うんです。[3] たぶん、沖縄戦をくぐったお年寄りはみんな同じ気持ちだと思うんですよ。
だから私は、辺野古も高江も、沖縄戦を原点に読み解いてやっています。この島に基地がないほうがいいし、基地で苦しむ人たちを見て見ぬふりをすることはできない。私は中村文子さんの理想、「地に一台の戦車も走らない、空に一機の戦闘機も飛ばない、海に一隻の軍艦も浮かばない、元の沖縄の姿に戻す」を手伝うことにしているんです。

菅間 中村さんや沖縄戦に出会われるきっかけは、何かあったんですか?

三上 沖縄戦は小さい時からすごい興味があって、最初に沖縄に来たのは12歳の時です。その時に旧平和祈念資料館や戦跡にたくさん行きました。
私は、なぜか知らないけど戦争のことばっかり考えている子どもだったんです。小さい時から広島・長崎の原爆の絵本とか、『はだしのゲン』とか戦争の本ばかり読んでいたんですね。最初の沖縄体験で原爆と沖縄戦がつながって、結構、全体像が見えたという感覚もあって。で、沖縄から帰ってきてから、沖縄って書いてある本は片っ端から読んで、沖縄関連のテレビがあったら全部観ていました。

菅間 そういう少女は、とても珍しいですよね(笑)。ご両親の影響が強かったとか?

三上 いやいや全然。先日、放送ウーマン賞を獲った時に、震災直後で誰も来ないから、家族を呼んでほしいと言われて、両親と姉が来たんです。そしたらみんな両親に取材するんですよ。「どうやったらこんな三上さんみたいな人に育つんですか」って。けど、父も母も「いや私は全然なにも〜」みたいな感じで、内容ゼロ（笑）。父は普通のサラリーマンだったし、母は専業主婦で。ただ、父が偉かったとしたら、最初に沖縄に来た時に持っていたのが、山と渓谷社のブルーガイドブックだったんですね。それは他とちがって、活字が多くて、特集には民俗学的な内容もかなり入っていたんです。だから、私が民俗学にいく一番の端緒は、たぶんあのブルーガイドブックだったと思うんです。

あと「原発ジプシー」のことも、小学校の頃からずっと考えていました。私に一番大きな影響を与えたのは『カムイ伝』です。『カムイ伝』を読まなければ、民俗学もジャーナリズムも何もない。あれを読んでようやく、民俗学や身分制度との闘争がわかったんですよね。まさに目から鱗でした。

菅間 『カムイ伝』がきっかけで本格的に民俗学の道に進まれた、と。

三上 ええ。大学は成城大学で、柳田国男の末弟子の鎌田久子先生に習いました。もう一人は野口武徳先生です。鎌田先生は大神島が専門で、だから私も大神島の研究をやっているんです。野口先生は、『沖縄池間島民俗誌』を書かれた方で、この先生が、また素敵な先生なんです！　高校の時までは、自分はアイヌや日本史が好きだと思っていたんですが、それは民俗学なのだということがわかりました。だから大学時代は、その民俗調査で沖縄にずっと来ていました。私、フィールドワークが大好きなんですが、これは取材と一緒です。

卒論は、宮古島のユタ（学術用語では民間巫者）に見る霊魂観についてでした。修士論文は大神島の神組織、神様を祭る女性の組織の在り方についてでした。大神島は誰も入れない、いまだに部外者には見せない、すごいお祭りがあるんです。祖神祭（ウヤガン）というのですが、本当にタブー中のタブーなんです。鎌田先生は初めて研究者でそれを見た人でした。絶対に書かない、記録しないということで見たんですね。私はもう見られないんだろうなと思っていたのですが、15年くらい通って、ようやく見られました。

菅間　大学院で勉強されたのは、毎日放送に入社される前ですか？　それともその後ですか？

三上　大学時代から、民俗学者になりたいと思っていました。というか、沖縄にかかわる仕事が、民俗学者以外に思いつかなくて。でも、ある大学院の先輩に「どうせ女の人が教授になるのはずっと後だから、放送局にでも入って荒稼ぎしてくれば」って言われたんです。「えー、そうなの？」って思って。民俗学も例えばインドネシアとかフィリピンなど、第二調査地をもったほうが教授への早道なので、外国に何回も通うお金を自分でためないとダメだと言われました。沖縄国際大学の大学院に入り直したのは沖縄に移ってきてからで、37歳の時です。

●──民俗学は、戦争に反対する究極の学問

菅間　今、大学（院）時代についてお話しいただきましたが、三上さんはジャーナリズムの仕

事と並行して、現在、大学で民俗学を教えていらっしゃいます。少し、民俗学研究者としてのお話をお願いできますか。

三上　私はシャーマニズムが専門です。村々のお祭りをやるシャーマンは、神様と人間の仲立ちをする人のことで、男の人もいますが、主に沖縄では女の人です。そのノロとかツカサと言われる人が集落にいるんです。何より、一番大事だと思っているのは、「民俗学は、究極的に一番戦争に対抗できる学問だ」ということです。というのも、戦争ってグループ分けから始まるでしょう。自分と同じグループに属していると思ったら、その人のことを殺すことはできない。だけど、理解不能で自分とはまったく異質な集団がいると思うと、相手を攻撃する。人間は、差別と偏見からは絶対に自由になれません。先入観は必ず持つものだからです。

人間は群れの生き物で、グループのなかにいたいんです。同じだからグループになろう、違うからグループになれないって。会社でも学校でも、くり返しくり返し、レッテル貼りをやっていますよね。そして、そのグルーピングから争いが起きて、同質集団が盛り上がっていくと、ある集団が別の集団を攻撃する。でも、民俗学を勉強したら、簡単に「俺ら」「うちら」って言えなくなるんです。

だから大学では一番最初に、民俗学の講義で学生にこんな作業をやってもらいます。「父は○○の生まれです。母は××の生まれです。私は△△で生まれました。したがって私は＊＊の人間です。」この空欄を埋めて書かせるんです。ここに沖縄と書こうが、宮古島と書こうが、宮古島の中の砂川集落と書こうが、なんでもいい。しっくりくる言葉を選んでもらいます。「日本」と書く学生もいます。なかには「お父さんも西原町棚原で生まれて、自分は西原町棚原だから、西原町棚原の人間です」とまったく疑問を持たない学生もいます。でも大抵は「自分はどこの人だろう」と初めて思うのね。沖縄って島や集落が違うと、本当に言葉や習慣が違うんです。だから、「お父さんが石垣でお母さんが宮古出身で、私は石垣に生まれたけど、ずっと育ったのが伊江島だった。自分は宮古島と石垣島のハーフなんだ。そして、ハーフだけじゃなくて伊江島に住んだから……」というふうに考えていく。だからアイデンティティとはたぶん一生かかって探していくものなのだとわかってくる。みんないろんなグループに何重にも属していて、グラデーションのなかで生きていることがわかってくるんです。

私は「ウチナーンチュ」という言葉が嫌いなんです、あまりにも流行りすぎていて。人に向かって「ナイチャー」っていうのも暴力的なことだと思うんですよ。

「ウチナーンチュ」って言葉がまず、沖縄の人たちを規定できるかって言ったら、その言葉は宮古や八重山にはないんですね。「世界のウチナーンチュ大会[4]」が市民権を得たから、最近は離島でもこの言葉はなじんできましたが。那覇や首里の人は自分らが正統だという意識が強くて、離島の言葉を「間違っている」、と注意したりするんですよ。それぞれの言葉なんだから、自分が尊重されたいなら相手の言葉も尊重すべきなのですが、やっぱりそこは、大きな文化が小さな文化を駆逐してなんとも思わないというところがあります。

「島人ぬ宝」っていうＢＩＧＩＮさんの曲があるでしょう。いい曲かもしれないけど、私はあれを聞くたびに複雑な気持ちになるんです。ＢＩＧＩＮさんは石垣の人たちだから、「島人」って書いて「しまぴとぅ」って読むんですね。あれは石垣島の男の子の詩をもとに書いたことで有名なんです。だから、「しまぴとぅの宝」にすればいいのに、なぜ「しまんちゅぬ宝」にしたのか。その子は「しまんちゅ」って言ったのかしら、沖縄本島の企業のコマーシャルソングだったからかしら……。こんなところにも、文化の摩擦や暴力が起こっている。

だから私は「ウチナーンチュ」っていう言葉で何かがくくれるっていうのは幻想だと思うし、翻って「ナイチャー」って言うのは、自分にとって都合のいい他者でしかないんですね。これは沖縄の人が使う言葉であって、「ナイチャー」「内地人」というカテゴリーは日本のなかにない。だって鹿児島の人と青森の人と会っても、話、全然通じないしね。みんなそれぞれ、歴史ある言葉や習慣があるし、それをひとくくりに「ナイチャー」と呼ばれたら、呼ばれる側は居心地が悪いということにも気づくべきです。

民俗学って、ワンダーランドなんです。相手との違いを見つけてワクワクし、通底している部分を見つけてまた感動する。どっちの作業も全部面白い。だから簡単に何かを規定し、グループ化する愚かさに気づけば、戦争はなくなると思っているんですよ。

菅間　いい意味で境界線がぼやけていくことが、敵味方という境界線をぼかしていくことにつながるということですね。

三上　そうそう。だから「都合のいい他者をつくらない」ということです。いじめも全部そうでしょう。だから私、いじめって、本当に戦争の根源だと思うんですよ。
それをくいとめるのは、思考とか文化しかないと思う。だからそこを獲得するためにも、民俗学はとてもいい学問だと思うんです。今も私は、すごい誇りをもって民俗学者になりたいと思っているんです。

●――嘘をついちゃいけない、権力に媚びちゃいけない

菅間　最後に、本誌の読者の多くは教員ですので、三上さんからメッセージをお願いできますか。

三上　いまの先生は縛りがきつくて、かわいそうだなと思います。私、教育者はサラリーマンではダメだと思うんですよ。そのふりをすることはあっても、絶対、教育者はサラリーマンと同質ではいけない。いざという時は、サラリーマン性を捨てる覚悟がないと、教育者にはなれないと思うんですよ。極論かもしれないけど、「校長が命令したら何でも従わなきゃいけない」と言っている人が、どうして本当のこと教えられるの!?　って。
私もジャーナリストだなんて、口はばったくて言えません。けれども、理想としては、少しはましなジャーナリストでいたいと思うんですよ。ジャーナリストなんて、人を傷つけて、人

の私生活をさらしながら何かを訴えて、野次馬精神でできていて、尊敬されるような仕事ではないと思う。それでもプライドはあるし、できることも可能性もたくさんあると思っています。課題や限界はあるけれど、多くの人に情報を届けられるのは、やっぱりテレビなんです。たまたまテレビ局に入ったんだから、俗なものにまぶしてでも、多くの人に伝えたいと思う。

でも先生は、子どもに性格悪いってことが見抜かれたら、ダメなんです。ズルイとか二枚舌だとか、権力の前にヘコヘコするのとかを見たら……。感性がするどい子どもって、結構いますよ。私は、そういう先生大嫌いだったもん。だから、先生は失敗してもへこたれてもいいけど、嘘ついたり、権力に媚びちゃダメ。子どもたちは、大人たちの「事なかれ主義」の生き方から大いに学んでいるんです。最近、どこの業界でも〝何かあったら責任とれない〟という人がいるけど、私、この言葉は死語にしないとダメだと思うんです。多少のトラブルがあっても自分で引き受けてやるということが、じつは本当に何かをやるっていうことなんです。「ここからここまでが私の仕事で、そこからは私の仕事じゃない」「子どもや生徒たちに対して責任取れない」っていうけど、それってつまり自分が責任取りたくないだけでしょう。

とりわけ社会科の先生って、すごく大事ですよね。私は中3の時の社会科の先生のことが忘れられません。学生運動の最後を経験してきた、当時24歳の全然かっこよくもない先生でした。さっきの『カムイ伝』を授けてくれたのもその先生で、本当に面白い授業をしてくれたんです。社会科の夏休みの宿題に、『ガラスのうさぎ』などの文学を読むことになっていたんですが、どうしても本を読みたくない生徒のためにと、『カムイ伝』と『忍者武芸帳』と『あしたのジョー』を貸すからって。私はもう『あしたのジョー』は読んでいたから、残り2つを読んだんです。今の先生はこれと同じようなことをできないんだろうと思うんですよ。それでも、とにかくサラリーマンじゃダメだということを伝えたいです。

菅間　今日は、長時間いろんなお話をいただき、本当にありがとうございました。映画を楽しみにしています。

［注］

（1）２０１５年、沖縄県と国が辺野古移設をめぐり法廷闘争を繰り広げたが、２０１６年、県の敗訴が確定。２０１８年から埋め立て区域の土砂搬入が開始されているが、軟弱地盤改良の必要性から大幅な延期が見込まれている。

（2）その後、映画化は正式に決定。映画『標的の村』（監督・三上智恵）は、２０１３年8月10日から全国で上映された。

（3）中村文子さんは２０１３年6月27日、99歳で他界された。

（4）１９９０年より、ほぼ5年に一度、４日間に渡って、沖縄にルーツをもつ海外の「沖縄県系人」を招待して沖縄本島で開催されるイベント。

安田菜津紀さんに聞く

害(そこな)われし人々と世界に寄り添う

――職業としてのフォトジャーナリスト

やすだ・なつき

１９８７年、神奈川県生まれ。ＮＰＯ法人Dialogue for People（ダイアローグフォーピープル／Ｄ４Ｐ）所属フォトジャーナリスト。同団体の副代表。上智大学卒業。16歳のとき、「国境なき子どもたち」友情のレポーターとしてカンボジアで貧困にさらされる子どもたちを取材。東南アジア、中東、アフリカ、日本国内で難民や貧困、災害の取材を進める。東日本大震災以降は陸前高田市を中心に、被災地を記録し続けている。著書に『写真で伝える仕事――世界の子どもたちと向き合って』（日本写真企画）他。２０１３年より、ＴＢＳテレビ「サンデーモーニング」にコメンテーターとして出演。

「言葉は決して妥協してはいけない」、インタビューのなかで安田さんはそう述べている。その言葉通り、テレビ、ラジオ、SNSなど、あらゆる媒体において、安田さんは自分の言葉を紡ぐこと、表現することに全身全霊を傾けておられる。そういう方の言葉や写真だからこそ、多くの人に届き、共感をもって受けとめられているのだと思う。数えきれない痛みや喪失を抱えながら、なお世界や人間への信頼や希望を失わない安田さん。差別と分断が世界を覆いかねない状況のなかで、彼女のような気高さと誠実さを兼ね備え、凛として時代と向き合う人と語り合えたことはとても貴重な経験であった。

（2017年10月12日　インタビュー）

●──妥協をせず言葉を紡ぐ

菅間　今年（２０１７年）で放送30年を迎えたＴＢＳテレビの報道番組「サンデーモーニング」（以下、サンデー）。ぼくは、教員になってからの27年間、毎回欠かさず、ずっと観続けています。番組の内容はもちろん、何人かのコメンテーターがとても魅力的で、特に、佐高信さん、田中優子さん、金子勝さん、荻上チキさん、最近で言えば、谷口真由美さん、青木理さんなどのコメンテーターの方々の言葉を聞き漏らさないように気持ちを向けています。わけても、数多くのコメンテーター陣のなかでもダントツに抜群だと思っているのが、安田菜津紀さんです。

深くて哲学的、理路整然としていて一切無駄がないけれど、ヒューマンタッチ。安田さんを知ったのはこの番組ですが、そのコメントには間違いなく多くの人が心動かされていると思います。時に連れ合いと一緒に番組を観ることもあって、二人で感嘆しつつ「今日の安田さんのコメントはすごかったね。なんて聡明な人なんだろう！」って言い合っています。

その安田さんの毎回のコメントは、司会の関口宏さんの振りに対して本当に瞬時に思いつかれ、言葉を紡がれるんですか。急に、〝安田さんどう？〟とか、並び順を飛ばしていきなり聞かれることもありますよね？

安田　ありがとうございます。私、サンデーと同い年なんです（笑）。そんなふうに、熱心に応援してくださるたくさんのみなさまに支えられて、長く番組が続いているんだと思います。そう、サンデーは、予定調和を排することを何より大切にしているので、我々コメンテーターが何を考え、何を発言するのか、というのは番組プロデューサーも関口さんもまったく知らないんです。それはとても健全なカタチだと思っています。あれを言いなさい、これを言うな、というものが一切ない。事前にだいたいこういうニュースが取り上げられるというのはわかっているので、関連する勉強をしたり、それなりにアンテナを張り、情報収集して番組にのぞみます。でも、VTRがどんなものかすらまったくわかりませんので、ある程度自分の軸となるようなものを持ちながら、直前の直前まで言葉を練るという感じです。

菅間　ということは、ほとんど視聴者と同じような感じで、その場、その瞬間に一つひとつのニュースにコメントされている、と。

安田　はい、そうですね。私はサンデーに出させていただくようになって4年なんですが、本当に鍛えられました。あの場でふいに振られたときにどういう言葉を発することができるのか。ということは、普段からどれくらい自分が思考しているのかということが問われることでもありますので。でも、毎回毎回番組が終わると反省しきりです。あの言葉はあの場面に本当に適切だったのか、あの表現は言葉がダラッとしていたのではないかなどなど……。

いつも放映前に自分に言い聞かせていることがあって、それは「言葉は決して妥協してはいけない」ということなんです。もしかしたら、自分の放った一言で誰かを傷つけてしまう可能性は大いにありますし、逆に世界にポジティブな影響を与えることができるかもしれないですから。

菅間　安田さんのコメントについて言えば、ぼくは圧倒的に後者だと思います。コメントする長さは、決められているんですか?

安田　だいたい1~2分をめどにしていると思います。最後のコーナーの「風をよむ」は、残り時間の制約があるので、ほぼ1分ぐらいです。ときには番組が押していて30秒もない、なんていう時もあったりしましたが(笑)。

菅間　むろん、報道番組としての性格もあるのでしょうが、安田さん、わりとシリアスな表情で画面に映ることが多いでしょう。一方でこれもコメンテーターとして出演されているFM番組、J-WAVEの「ジャム・ザ・ワールド」(毎週水曜日夜オンエア)では、笑い声を含めて、もう少しラフな感じの安田さんの様子がうかがえます。この夏に伺った講演会でも、ヘヴィな内容が所々ありましたが、全体としてはずっと笑顔でお話をされていました。ちょこちょこジョークも挟んでおられたし。難しいと思うけど、笑顔の安田さんがもう少し映るといいなとも思います。

安田　おっしゃられること、よくわかります。ただ、サンデーのスポーツコーナーでは、それこそ急に関口さんに振られたりして、結構笑顔になることもあるんですよ。選手とか競技についてコメントを求められたりしますので。突然、ボルダリングの映像が流れた後「同世代の女性として、この競技はどう思う?」なんて。

菅間 そうですか、それならよかった。ぼくはいつも録画で観るので、スポーツコーナーをスキップしてしまうから、たぶん安田さんの笑顔を見逃してしまっているんでしょうね。

●――大切なのは揺れること、揺れ続けること

菅間 さて、安田さんの本業は、フォトジャーナリスト。講演でもご自身が「戦場カメラマン」ではなく「船上カメラマン」ですってダジャレ交じりに笑顔で紹介されていた『それでも、海へ――陸前高田に生きる』や『君とまた、あの場所へ――シリア難民の明日』、そして最新作『写真で伝える仕事』など、最近の著作を拝見しました。『それでも、海へ』に関して言うと、「船上」への思い慕って船舶の免許も取られたんですよね。

ぼくの安田さんの写真の印象は、戦場の最前線ではなく、難民キャンプや被災地などを含めた、害(そこな)われた人々と世界にそっと寄り添い、彼らの喜怒哀楽を、同じ目線に立って、横並びで写真に撮られている、そんな感じです。『君とまた、あの場所へ』の表紙の少女の笑顔も本当にステキだった。ぼくは、その本に出てくる、ヨルダンのザータリキャンプに暮らす、ジュアーナちゃん(お母さんと上の兄姉3人を戦闘でなくす)とそのお父さんバーシルさんとの物語が一番胸に突き刺さりました。それまでの普通の暮らしが、いきなり引き裂かれた。不条理こ

の上ない話で、とてもやるせない。けれど、安田さんが写真と文章によってこの世界で何が起きているのかをレポートしてくださって、私たちの無知蒙昧さを気づかせてくれる。とても大切なお仕事をされています。

さて、最初に、「戦争と写真」というつながりで、先ほどもふれた講演会での、ある方の発言から、お仕事をめぐる相克・葛藤についてお伺いしたいと思います。その方は、安田さんの講演後の質問タイムで、およそこんな発言をされていました。「戦場カメラマンって、なんて残酷な、非情な職業なんだろうと思った」と。「有名な、ベトナム戦争のときの家族で河を渡る写真なんて、まさにそうじゃないか。撮っているヒマがあったら助ければいいじゃないか、よくシャッターなんか切れるなと思うんですが」と、質問ともクレームともつかぬような発言をされていました。ロバート・キャパの「崩れ落ちる兵士」でいえば、撮ってないで助けろよ、ということなんでしょうし、明らかに沢田教一の写真「安全への逃避」を指しておられた。

安田 ええ。講演の時に、そういった趣旨の質問やご意見があったことは、私もよく覚えています。

菅聞 それに対して、安田さんはとても丁寧に、誠実にお答えになっていました。ただ、こういう感覚をお持ちの人は存外いるんだろうな、という気はしています。というのも、落合恵子さんの『てんつく怒髪』（岩波書店）のなかで、こんなくだりがありました。「あなたはジャーナリストだ。あなたはカメラを手に戦場にいる。その、あなたの前で、爆撃がはじまる。銃弾をくぐるようにして、一人の子どもが裸足で逃げてくる。あなたが手を差し伸べれば助かるかもしれない。あと30メートル、20メートル。その時あなたはどうするか！」と。つまり、手を差し伸べて助けるのか、それともシャッターを切るのか、という問いかけです。これは米国の大学のジャーナリズム科の講義で行われたもののようですが、件の発言は、人間なら「助ける」に決まっているだろう、というものでした。

安田さんが高校生の時に目にされた、アンゴラの難民キャンプで生き抜く母子の写真を撮られ、師と仰ぐのが写真家の渋谷敦志さん。その渋谷さんは、高校生の時、『地雷を踏んだらサヨウナラ』（一ノ瀬泰造著、講談社文庫）という1冊の本を読んで、カメラマンをめざされます。先日、渋谷さんのことを取り上げた番組（「ザ・フォトグラファーズ　4」（BS朝日　2017年9月22日放送）を観ましたが、それによると、渋谷さんは、ブラジル、阪神・淡路大震災時、写真が一枚も撮れなかったとのこと。そういう自分を変えるため、サンパウロへ行かれる。渋谷さんは言います。「一枚の写真で社会を変えるきっかけになればとは思う。しかし、葛藤を抱え続けている。世界はどんどん酷くなっている。写真なんか撮ってどうなるんだろう、という思いは募る。しかし、だからこそ、人と人とが支え合う姿を撮りたい」と。渋谷さんは「写真家とは心の扉をノックする人」であるとおっしゃっていました。このように、どんな仕事でもそうですが、とりわけフォトジャーナリストという職業を続けていかれるなかで、日々たくさんの葛藤や相克とともにあるのではないかと思います。そのあたりのことを伺ってよろしいですか。

安田　今、渋谷のことが話題に出ました。彼はもう兄というか、父というか身内みたいなものなので、渋谷と呼びますが、その渋谷が阪神・淡路大震災の時に写真を撮れなかったように、私も3・11震災当初は写真を撮ることができませんでした。写真を撮って一体何になるんだろう？　瓦礫をどけることができるわけじゃないし、避難所の人たちのお腹をいっぱいにすることができるわけでもない。震災のこと自体は、日本中に知らされている。そこに小さな写真を撮って、何に貢献することができるのだろう。そこにどんな意味があるのだろうと。

そんな日々を過ごしながら、私なりに特に3・11震災後、導き出した答えがあります。それは、戦地であろうと避難所であろうと、現場に行って写真を撮る以上に役立つことがあるのであれば、私はそれをやるべきだ、と思っているということです。先ほどの問いかけで言えば、自分が手を差し伸べることで命が助かる可能性のある子がいるのであれば、私はそうすべきだと思います。写真家である前に一人の人間でいることができるか、ということが問われていま す。

その「答え」は私のなかで絶対的かつ明確な基準があるわけではありません。大切なのは常に揺れるべきだということ、むしろ揺れ続けるべきなのだと思います。例えば、カメラマンだから撮って当然だよ、というふうに他者の琴線に触れるような現場に土足で踏み込むようなことがあれば、それはそれである種の思考停止状態です。

関連して少しお話ししたいことがあります。『写真で伝える仕事』にも書かせていただきましたが、3・11震災の時の「奇跡の一本松」についてのことです。ご承知のように、震災後とても有名になった写真です。私は、7万本の松の木で「一本でも残った」と思い、シャッターを切りました。しかし、長年陸前高田で生きてきた義父からみれば、それまで7万本あった松の木が「たった一本しか残らなかった」という受け止めなのです。しかも、とても危険な位置から撮っている、と。「そういう写真を見たくはない」と義父は私に言いました。その言葉は本当に衝撃的でした。一枚の写真をめぐる葛藤や相克ということで言えば、これからも絶対に忘れることができません。忘れてはならないことです。

自分はこれでいいのか、と問い続けること、葛藤や相克とともにあることはつらくしんどいことです。でもその「宙吊り状態」から逃げないことが大切だと思うんです。それがこの仕事の一つの大切な軸になると思います。常に自己を問い直し、自己反省を続ける、続けなきゃいけない職業だと考えています。

菅間　なるほど、揺れること、揺れ続けることですか。それは人と向き合うという点において、教師も同じだなと思います。少し沢田教一の「安全への逃避」の話題に戻るんですが、沢田さんは、その家族を助けられたんですよね。撮るか、助けるかの二者択一だけじゃない気がします。じつは今夏開催された、沢田教一展で初めてそのことを知りました。母親に抱きかかえられていた当時2歳の女の子だった、フエさん（54歳）のインタビュー映像が会場に流れていて、彼女はこう言っていました。

「（沢田教一さんは）催涙弾ガスで目が痛かったのをハンカチで目を拭ってくれた。さらに一家を安全なところに退避させてくれた。（生きていたら）お礼が言いたい」って。

安田　先ほどは、撮る側の思考停止についてふれましたが、写真や映像を見る側にも同じことが言えると思うんです。その「瞬間」の時間的前後、あるいは背景に何があったのか、そのフレームの外にどういう世界が広がっているのか、こういったことを常に想像しなければいけない。見えているフレーミングだけにとらわれて善悪や白黒を短絡的に判断するのではなく、見る側の主体性や能動性が、絶えず宿題として問われると思います。

●──チームとして信頼の報道番組をつくる

菅間　今のお話、「発信、受信双方の脱・思考停止」に関連させて言うと、その沢田教一写真展で展示されていた、戦後日本を代表する戦場カメラマンの石川文洋さんのコメントが印象に残っています。石川さんは昨今のジャーナリズム状況について、こうコメントされていました。「戦争写真について、メディアに受け入れる体制がない。読者が望まないから扱われないのか、扱われないから読者が離れるのか」と。この石川さんのコメントについて、安田さんはどうお考えになられますか。

安田　戦争写真についてだけではないんですが……。短期的には、二者択一に見えるかもしれないけれど、もう少し長いスパンで報道番組を見たときに、少し違った視点があるように思います。メディアに携わる方のなかには、本当に尊敬に値する人がいて、その方のある言葉を紹介したいんです。こう言われました。

「身近な話題を取り上げれば、一時的に視聴者がついてくることはあるだろう。しかし仮に視聴率が上がったとしても、それは一過性のものだ。逆に一見、身近には見えない問題、だけどとても大切な問題をくり返し取り上げることによって、話題性ではなく、番組そのものへの信頼性が醸成される。長期的に見れば、そういう報道姿勢が大事なのだ」と。

菅間　たしかに、その通りだと思います。その一つが、間違いなくサンデーだと思う。またこの番組の話になってしまうんですが、ぼくは今年の4月に東京都練馬区で行われた、先ほどもお名前をあげた、谷口真由美さん（大阪国際大学准教授・全日本おばちゃん党）の講演会に行ったんですね。主題は憲法と共謀罪についてでした。

安田　え！　私も行っていました。

菅間　本当に!?　じゃあ、同じ会場にいたんですね。もっとも、谷口さんと安田さんはお互いを姉・妹と呼び合う仲ですもんね。その講演のなかで、彼女はこうおっしゃっていました。

テレビ番組で「在日コリアンと仲良くしなければダメ」とコメントした後、残念ながら、自分の職場にまで、「何であんなやつを雇っているんだ、クビにしろ！」などの苦情や脅迫がきたことがある、と。でも、一方で、あの番組は高い視聴率に支えられている。一視聴者として観てくださるだけでも支えになる、と。

たぶん、多くの視聴者は、「いい番組だな」と思って、信頼を寄せながら応援したり、観ていると思うけど、一部の「何だこんな番組、こんなコメントは！」って思う人たちがまなこを吊り上げて悪罵を投げつけるんじゃないかな、って。

安田　あの時、真由美さんもおっしゃっていたように、そして今ご指摘のように、やはり観てくださっている方々に支えられていると思います。同時に、彼女にしても私にしても「大きな力」にものを言っていくというのは、決して容易なことではないということを、この間学びました。しかし、メディアの大きな役割の一つは、権力に対して、「これはどうなのか」と常に異議申し立てをすることにあると思います。その時に、心強い支えになるのがみなさんからの応援、励ましです。私は、制作のスタッフの方々、画面に映る私たち、そして視聴者のみなさん、これらが一体になったチームだと思っています。チームで「場」をつくりあげている、って。

菅間　ぼくもメディアの方の話を聞いたりすることがあるので、この間の谷口さんの話も含めて、いつも機会があるごとに「いい番組を観たら、いいね！　素晴らしい番組ですね！　ご苦労さまってメッセージを送りましょう！」って言ったり、書いたりしていますが、こういうことも、チームの一員としての「グランド整備」とかの役割くらいは果たせているのでしょうか？

安田　もちろんです！　とてもありがたいです。番組ホームページからのメールはもちろん、それほど頻繁に見せていただくわけではありませんが、お葉書でメッセージを書いてくださる方もいて、本当に勇気づけられます。

一方で、辛辣な言葉が多く寄せられることは事実です。私自身、父方が在日コリアンである、ということをサンデーの第一回出演時にお話しさせていただきました。そうすると、発言の内容にかかわらず、出自とからめた批判や攻撃を受けることが多いです。ただ、それはそれで私への投げかけ、問いかけの一つだと思っています。わざわざ他者に対して、出自など、自分の力ではどうにもできないことがらに対して攻撃をしてくるというのは、なぜなのか。心の余裕があればそういうことにはならないはずであって、どうしてここまで生きづらい人たちがたくさんいるのだろうか、と。その生きづらさに対して、心を和らげたりするためには、どういう言葉を発すればいいのかなど、一見クレームと思われるもののなかにも自分に対して活かせるものがあるのではないかと思っています。

●――「世界への無関心」を変えたもの

菅間　そういう境地や頸さは、どうやって体得されたんですか。

安田　うーん、どうなんでしょう。振り返ってみると自分が多感な中学生・高校生のころ、先生や周りの大人たちが「いい背中」を見せてくれたことが大きいと思います。私が通っていた学校は、どちらかというと、規則・規律の厳しい学校だったので、失敗をしないためにどうしたらいいか、ということに意識がいってしまった感じでした。けれども、高校生のときカンボジアに行ったことがあって、その時に私自身、大きな失敗をしてしまったんです。

菅間　『写真で伝える仕事』などでも記されていますが、「国境なき子どもたち」という団体が派遣している「友情のレポーター」というプログラムで、カンボジアに行かれたんですよね。それが大きくご自身を変えられたと。

安田　そうなんです。その本にも少し書かせていただきましたが、人身売買のことなんか何も知らずに現地に行った時に、無邪気に周りの子たちと恋愛の話をしてしまった。ある子が、その話題の輪に入ってこられなかったんですね。私は、なんで入れないのかがわからなかった。でも、その子は実は人身売買の被害にあって、売買春に従事させられていた。「恋愛の話になんかとてもではないけど入れない」。そう聞いたときに、ものすごい衝撃を受けました。

ちょっとでも自分が事前に学んでいて知識を得ていれば、あの子はこういう話題で傷つくか

もしれないと察することくらいはできたかもしれない。私はとても後悔しました。でもその時、派遣をしてくださった「国境なき子どもたち」の方々は何かを咎めるのではなくて、「知らないことに対して失敗するということはある。だから、大事なのはこれからだよね。あなたはこのことを踏まえて、どういう生き方を選択するかだよね」、そう言葉をかけてくださいました。それで私は前を向くことができました。

うまくご質問に答えられていないかもしれません。落ち込むこともあるし、悲しいこともある。理不尽に傷つけられることももちろんある。でも、必ず自分の周りには、誰かがいてくれる、見てくれている。私には受け止めてくれる人がいる。そういった安心感を積み重ねてきたことがとても大きいですね。

菅間　他者や世界に対する基本的信頼ですよね。今、多感な時期の頃の話にもなりましたが、安田さんの著作やインタビュー、あるいはマスメディアでのコメントのなかで、「無関心であってはならない」「無関心こそが最大の問題」という言葉がよく語られます。

『未来に語り継ぐ戦争』（東京新聞社会部編、岩波ブックレット）という本のなかで、安田さんは、飯田進さんという、ニューギニア戦線に従軍され、戦後、ＢＣ級戦犯で20年の刑に処せられた方と対談しておられます。そこでも安田さんはこう言われています。「飯田さんの世代は一つの統一された思想を共有したから戦争ができた。逆に今の世代は無関心だから、国家が戦争をできるんじゃないかと思うんです。無関心だから気づかれることなく、許されてしまうのではないか」と。この対談は安田さんが20歳の頃だったと思うんですが、ご自身は、中学・高校生の頃から「社会的問題」「世界」に強い関心がおありだったんでしょうか。『アエラ』の記事「現代の肖像」（２０１６年5月30日号）によると、中学生の時に、お父さまとお兄さまを相次いで喪うなど、想像を絶する大変さのなかにあったと思うのですが。

安田　正直に申し上げると、中学・高校時代に、外に、世界に目を向けていたということはなかったですね。逆に、だからこそ、最初の体験がカンボジアであったということがものすごい衝撃・鮮烈でした。それまでの自分とあまりにギャップがありすぎましたので。父と兄がどうして亡くなったのかということは家族の関係もあって、私は詳しくはわからないのですが、もちろんそれは大きかったです。兄のことは大好きでしたし。家族って何だろうって悶々として、内に内にこもっていました。その時に、高校の担任の先生にカンボジアのプログラムのことを紹介されるんです。行ってみたら、と背中を押してくださった。その先生とは今も関係が続いています。現在は、広島にいらっしゃるんですが、この前も講演に呼んでくださるなど、密なおつきあいをさせていただいています。

菅間　おそらく、その先生なりに何か察しておられたんでしょう。そして、その先生なりの安田さんへの声かけ、働きかけがそういう形になったのではないでしょうか。安田さんのなかに、きっとこのプログラムに呼応する何かがある、と。

安田　ええ、そうかもしれません。ちなみに、その先生は社会科で、ご自身も東南アジアなどに足繁く通われて勉強されている方でした。「この夏はフィリピンに行ってきた。こういうスラム街に行ってきた」という話をされていました。でも、大変申し訳ないけれど、カンボジアに行く前までは、聞き流していたと思うんです。でも、カンボジア体験以後は、そういうものが徐々につながり始めて、次第に行動化につながっていったと思います。振り返ってみると「人を救うのは人である」ということを教えてくれた人がたくさんいて、その人たちとの出会いがあって今の私がいると思います。

絵本と「表現」

菅間　ありがとうございます。少し、「ジャム・ザ・ワールド」のことについても話題にしていいですか。じつは、ぼくは月曜と火曜の夜は組合の会議なので、夜、帰りが遅いんですね。だけど、水曜日は比較的早く帰れるので、安田さんの番組を聴くことができます。「ながら」で申し訳ないけれど、ラジオに耳を傾けながら、家事や仕事をしています。番組で取り上げられるトピックは、まさに安田カラーとも言い得るような、硬派な話題が多いですよね。子どもの育ちのこと、貧困や福祉の問題、世界の紛争、人権侵害、もちろん、シリアのことも何度も取り上げておられる。

昨夜の放送も聴かせていただきました。「注文を間違える料理店」。認知症の方々が働いているお店の紹介でした。いつも新しい視点やものの見方を教えてもらうんですけど、取り上げられるトピックは、安田さん主導で決められているんですか？

安田 そうですか！ こちらも熱心に聴いていただいて、ありがとうございます。他の曜日のチームは、どうしているのかはよくわからないのですが、水曜日のチームはとても連携が取れていて、私がやりたいことをみなさんとてもよく理解されていて、私から「この人、この話題どう？」と提案することもあるし、構成さん、ディレクターの方などからご提案いただくこともあります。半々くらいかな。

菅間 この10月から、番組への安田さんの関わりは少し変わられましたね。でも、これからも大切なトピックとそれに対する安田さんのコメントがラジオから届けられるはずです。今までのオンエアも、ジャーナルな視点でありながら、普遍的な内容なので、とても大切な報告・問題提起としてぼくらリスナーに響いてきました。

安田 「ジャム・ザ・ワールド」も、私が関わらせていただいて3年目、番組自体はもう17年くらい続いていて、J-WAVEという、若者たちも多く聞いてくれていて、おしゃれな音楽を流すラジオプログラムのなかで、あの時間帯にポンと、ああいう番組が入ってくることはとても意味があることだと思っています。

菅間 その番組でも言及されていましたが、安田さんは、今年4月から7月まで、東京成徳大学の子ども学部で「子どもとメディア」という講義を担当されていました。7月下旬のオンエアでは、受講生に対して「絵本を創る」という課題を提起されたとお話しされていました。学びの出口、アウトプットで作品を創らせるというお話、「表現」ということを含め個人的にもとても興味があります。また、内戦、戦争などで傷ついた子どもたちに絵を描いてもらう、という取り組みが行われていることや、お母さまが、安田さんが小さい頃、毎月３００冊の絵本を読んでくださっておられた。このあたりもいろいろ関係があるのかなって。

安田　おっしゃっていただいたように、母は絵本の読み聞かせにこだわっていました。少なくとも人を傷つける、いじめる側に回る人間だけにはなってほしくなかったみたいで、内面を豊かにするには絵本だ！　という確信があったらしいんです。

大学での講義内容は、子どもをめぐるニュースを取り上げてみんなで考える、というものでした。課題設定について言いますと、もちろん、私自身が絵本が大好きということもありますし、シンプルに興味があったからなんです。「学生のみんなは、一体どんな絵本を創ってくるんだろう」と。将来、子どもの育ちに関わる仕事に就きたいという意志を持つ学生さんたちが多いので。

そして、この課題から見えてきたことはいろいろあって、その一つは、学生のみなさんが子どもの頃、虐待などで傷ついた経験を持つ方もいて、その傷つきを描画やシンプルな言葉の表現によって、相対化したり和らげたり、という部分もあったかと思います。それは、ご指摘のように、イラクやシリアの戦火のなかの子どもたちに絵で表現してもらう、ということにも通じることだと私も思います。絵本を創る過程のなかで、癒されていくということがあるんだということを、この取り組みで改めて認識しました。

生徒の「心の選択肢」を増やしてほしい

菅間 最後に、本誌の主たる読者は教員なので、安田さんからメッセージをお願いしていいですか。

安田 この仕事をやっていて気づいたことがあります。それは、フォトジャーナリストとか報道に携わっている人たちの親御さんが実は教員である、ということが多いということなんです。先日も、それはなぜなんだろうということを先輩たちと話していました。思うにそれは、お金ではない人間関係を見ているからだろう、と。お金とかの利害関係でつながらない人間関係をずっと見てきているからこそなんだろうという結論に至りました。

菅間 そうですか。それは初めて伺うことですね。

安田 あと、学校のなかで頑張っている生徒たちの背中を押すこと、これはとても大切なことです。同時に、路上や街頭など学校の外へ飛び出してしまう子どもたちの背中も押してほしいと思います。もう少し言うと、「心の選択肢を増やしてほしい」ということです。自分自身もそうだったのですが、日本特有のクラスという狭い世界のなかでいちど居場所を失ってしまうと、そこから挽回するということがとても難しくなってしまう。たとえば校則という一つの物差しで測られ、そこからはみ出してしまうと、とっても苦しい位置に追いやられてしまう。

私の経験で言えば、先ほども申し上げたカンボジアでのいろいろな出会いをしたことで異なる価値観にふれることができて、心がすっと楽になったんです。好き勝手なところで昼寝をしていたり、おおらかというか自由なんですよね。ある時、私の傍をトラクターが通ったんです。きっとそのトラクター、クラクションが壊れていたんです。運転手のおじさんが、「プップ！　プップー！」って口で言いながら通るんですよ（笑）。本当に何気ないことなんですけれど。

最後にぜひお伝えしたいのが、先生方のお仕事というのはとても尊い仕事だ、ということです。子どもの頃というのは、まだまだ知識も少ないので、考える材料が乏しい。そのことが「思考」するうえでの「心の世界」を狭めてしまうと思うんです。

私の最後の担任の先生は保健体育が担当の方だったんですが、ＬＧＢＴの方々のことを取り上げたり、様々なマイノリティや当事者の方々を教室にお招きして授業をしてくれたことがありました。学外で行われるこのような問題を考えるイベントを紹介してくれたりもしました。いずれも、そんなこと考えたことなかった、という「気づき」を与えてくれました。私の通っていた学校のなかではかなり異端だったと思います。先生というのは、生徒の一番近くで、生徒たちの世界を広げられる機会をたくさん持っている。生徒のみなさんの「心の選択肢」を広げ続ける存在としてあり続けてほしいと願います。

菅間　その保健体育の先生も、きっと「外部」といろいろつながっていたのだと思います。それはとても大切なことで、ぼくは教師の役割の一つは「ブリッジ」だと思うんです。教師と生徒、生徒と生徒、生徒と世界、それらをつなぎ、架橋していく。そして、紛れもなく、安田さんはその「ブリッジ」の役目を果たされている、そう思います。これからも体に気をつけて、お仕事を続けていってください。心から応援しています。

今日は長時間、本当にありがとうございました。

小熊英二さんに聞く

「おまかせの国づくり」から「自前の社会づくり」へ

——危機と岐路にある日本社会

おぐま・えいじ

1962年生まれ。慶應義塾大学総合政策学部教授。東京大学農学部卒業。出版社勤務を経て東京大学大学院総合文化研究科国際社会科学専攻博士課程修了。著書に、『単一民族神話の起源――〈日本人〉の自画像の系譜』『〈日本人〉の境界』『〈民主〉と〈愛国〉――戦後日本のナショナリズムと公共性』『1968』(以上、新曜社)、『増補改訂　日本という国』(イーストプレス)、『社会を変えるには』(講談社現代新書)、『原発を止める人々』(文藝春秋)、『生きて帰ってきた男――ある日本兵の戦争と戦後』(岩波新書)、『アウトテイクス』(慶應義塾大学出版会)ほか、多数。

小熊さんの対談集『対話の回路』の「あとがき」にはこうある。「対談ほど安易にやろうとすれば安易にできてしまうものはない。(中略)よい対談を実現するためには、相互の信頼が不可欠だ。(中略)信頼関係を築くためには、相手の作品を読み込み、『私はあなたの作品に接している。そして評価している』という姿勢を示すことが必要だ」と。正論だが、同時にプレッシャーでもある。小熊さんの著作は、新書であれ、ハードカバーであれ、中身がギュッと詰まって、しかも電話帳(死語?)のように分厚いからだ。その本人へのインタビューだったが、「結構、私の作品を読んでくれていますね」と淡々と言われたことが印象深い。

(2016年5月25日　インタビュー)

映画『首相官邸の前で』をめぐって

菅間　ぼくが小熊さんにインタビューさせていただくのは10年ぶり、二度目になります。一度目は、教育誌『クレスコ』（2006年1月号、大月書店）において「ナショナリズムを超えて公共性をつくる」というテーマで、お話を伺いました。[1]今日はよろしくお願いします。

まずは、小熊さんが監督をされた、3・11以降の反原発／脱原発運動を取り上げた、映画『首相官邸の前で』のことからお聞きしたいと思います。ぼくは昨年（2015年）秋、上映開始直後に映画館に観に行きました。

観終わって「これは、何かひとこと言いたくなる。BGMも一切なく、映像のスイッチングも早くて、ダサくない。デモを外側から眺めたものではなく、デモの内側から世界を眺めた映画だ。若い人たちとぜひ一緒に観て、語り合いたい！」って思ったんです。

そこで、「若者と観る　映画　首相官邸の前で」と題して、研究会や組合の仲間に声をかけて東京都の明星学園高校で、今年2月21日に上映会を持ちました。何人来るかなと案じられましたが、結果的には150名近くもの方々が来てくれて大盛況。結構、若い人も多く参加してくれました。そして、イベント当日は、小熊さんにも、ドイツ・ベルリンからスカイプ出演をしていただきました。

フロアから出された問いや論点もたくさんあって、覚えているところでは「あきらめにどう抗うか」「問題を感じる人と感じない人との境界線・差異は?」「SEALDs(シールズ)などへの行き過ぎた誹謗・中傷をどう考えるか」「動員と主体性の間」等が出されました。フロア同士、若干議論になったし、小熊さんには、それらについて丁寧に応答していただきました。スカイプ画面から流れる小熊さんの映像は、朝食を食べながらだったり、ニコニコ手を振る場面だったりと、ユーモラスで面白かったです。

ところで、この映画は、メキシコ、台湾、韓国、香港、ドイツ、スペイン、スウェーデン、ベルギー、オーストラリアなど、世界各国で上映されているそうですが、国内外で、受け止めの違いなどはありますか。

小熊 海外と言っても国によって異なりますが、どこでも共通しているのは、「こんなに大きな運動が起きていたなんて知らなかった」「日本のマスコミは何をしていたんだ」「日本人を見直した」といったところでしょうか。逆に日本でしかなかった反応は、「なぜ原発を支持する人もインタビューをしなかったのか」「音を鳴らしながらデモなんて不謹慎だ」といったものでしたね。

菅間 そうですか。観客からのコメントや批評で、なるほど、この観点は面白いな、というのはありましたか?

小熊 率直に言って、それはほとんどありません。もともと、欧州などでこういう反応があるだろうな、というのは想定して映画をつくっていましたから。

いつも私が外国での上映で述べていたのは、これは反原発運動の記録というより、グローバルな民主化運動の記録だということです。2011年のエジプトを契機として、ニューヨークやスペイン、香港や台湾などで起きていた運動の一つなのだと。経済の停滞、格差拡大、政治の機能不全、ネットの普及などを背景にして、組織主導ではない、個人の直接参加による運動が世界各地で起きている。それが東京でも起きていた、という記録です。日本の場合には、たまたま原発事故をきっかけにしてそれが起きた、ということです。

●——「災害大国日本」で問われていること

菅間 なるほど。運動については、また後で詳しく伺います。その前に、最近の小熊さんの論稿の一つで、はっとさせられた『ゴーストタウンから死者は出ない——東北復興の経路依存』（赤坂憲雄との編著、人文書院）についてですが、大規模災害は経済成長前と後に多発していて、特に1995年の阪神・淡路大震災後に続けて発生しています。にもかかわらず、従来型の、土木事業優先の対応をくり返していることの弊害や課題を、細かな数字をたくさん挙げて述べておられました。

小熊さんは、『平成史』（河出ブックス）の「総説」や『社会を変えるには』のなかで、巨視的な状況認識として、ポスト産業社会への移行がうまく行われておらず、「問題の先送り」「弥縫策」で対応を続けていることを問題視されています。危機にある日本社会のなかで、従来型の路線を変えられない「経路依存」が、なぜまかり通ってしまうのか。疑問と怒りが募ります。

小熊　あの論文自体は、学者らしい、まっとうな学術論文です。ただし災害復興は、社会科学の研究が少なかった。災害研究は津波や地震の予測、防潮堤の建造など、理科系に偏重している。一部に経済学の研究はありますが、コミュニティ調査のようなものを除くと、社会科学から扱おうという人は多くはなかった。なかでもあの論文は、歴史、法律、予算、地域社会、行政組織などを横断的に分析していますから、そういう論文はさらに少ないでしょう。そういう総合的な分析から、そもそも60年代にできた災害法制のコンセプトが、現状に即していないということを主張したわけです。

菅間　対策として具体的には、土木事業よりも、被災者への直接支援を主張されていますね。阪神・淡路大震災のときには、小田実さんたちが、被災者生活再建支援の法制をつくる運動をしながら、日本社会や法律の冷たさについて訴えていたことがとても記憶に残っています。その運動が実って、1998年に被災者生活再建支援法が成立します。しかし現在でも、被災者への直接支援は、住宅再建については最大300万円ということになっています。公共事業はやるが直接支援はしない、という基本枠組みは変わっていない。政府の言い分は、それは税金を使って個人の財産を増やすことにつながるとか、個人の「焼け太り」や「バラマキ」を回避するためなどと言うのですが。

小熊　そうは言うけれども、根本的な理由は、行政が従来の制度を変えられないことでしょう。農水は農水、国土は国土で補助金がつきますし。直接支援は「バラマキ」になると言いますが、現状のお金の使い方のほうがよっぽど「ムダ使い」です。

菅間　ええ。小熊さんは論文でこうおっしゃっています。2年で破棄することが前提の、床が腐るようなプレハブ住宅で、どんなに長くても5年しか使えないものを、補修に補修を重ねて結局一戸あたり800万円くらいかかる。だったら、最初からその金額を住宅再建のために渡したほうが早いし、効果的だと。まったく同感です。

小熊　しかし本来は、官庁は命じられたことを執行するのが役割です。制度を変えるのは政治の役割であって、官庁がやるべきではないというのが原則です。また中央官庁が縦割りであっても、各省庁が出してくる補助金を総合的に束ねて、プランをつくるのが自治体の役目です。それが原則であるべきなのだけれど、そういう機能を政治や自治体が果たせていない。本当は、国民が政治を動かし、自治体を動かすべきなのですけれどね。

菅間　「上から降ってくるものを待っていてはダメ」だと。

小熊　そういう言い方もできます。それプラス、「上がよい計画を立てても、下が活かさないとダメ」ということもある。三陸沿岸に、巨大な防潮堤を巨額のお金を投じてつくっていることが批判されていますが、あれは中央官庁が高さを決めてつくれと命じたとは言えない。中央官庁は、津波の高さの予測を出し、防潮堤の高さのガイドラインを決めただけです。ところが県がそれで行くと言い、自治体はみんな右へならえ、となってしまった。上は「ガイドラインを出しただけだ」と思っているでしょうし、下は「中央に決められた」と思っているでしょう。誰が悪いとも言えないが、誰も責任をとらない。地方自治体は被災もしていたし、経験もなかったから、同情すべき点は多いですが。

菅間 なぜ「個人補償／直接支援」にこだわるかと言えば、それこそゼロ成長、マイナス成長時代の災害多発国日本において、「個人補償／直接支援」というものが、一点突破とは言いませんが、まさに「人間の復興」「コンクリートから人へ」の具体的な政策・対応の一つだろうと思うからなんです。

小熊 土木事業より直接支援のほうがいいというのは、上から決める巨大事業は機能しない、一人ひとりが考えないとだめだ、ということでもある。それは高尚な理想論で言っているわけではない。トップダウンではもう機能しない、下からつくっていかなければしょうがない、それが災害復興で露呈した、ということです。

3・11以降の運動をどうみるか

菅間 それは、冒頭に挙げた、10年前の小熊さんとのインタビューでもぼくが話した「自前の社会づくり」ということと通底する問題ですよね。

では問いを戻して、その「下からの運動」ということで、3・11以降の社会運動、反原発、反安保法制の運動について伺いたいと思います。

3・11前の2010年11月、「ポスト戦後思想研究会」において、小熊さんは『68年』と『89年』、そして『戦後』と題された報告をされました（集英社新書WEBコラム 2013年12月6日掲載）。そこでこうおっしゃっています。「『戦争の記憶から経済へ』という形で、政治地図においても、ものの論じ方の地図においても、変わってくるであろう」「安保、自衛隊、憲法9条、戦争責任、靖国といった戦争の記憶に基づく旧来の争点軸が成立しなくなる」と。

そして、これは昨年10月、映画上映会の相談のために小熊さんにお会いした時にもおっしゃっていましたし、ミサオ・レッドウルフさんや奥田愛基さんとの討論のなかでも「率直に言って、私は2015年にもなって、『憲法守れ』といったコールが人を集めるとは思っていなかった。自分の読みが外れた」と言われている（「〈官邸前〉から〈国会前〉へ」『現代思想』2016年3月号）。これは、小熊さんからすると、本来なら〝格差・不平等への抗議デモ〟といった経済的背景に基づいたムーヴメントが起こるはず／起こるべきで、〝憲法守れ・集団的自衛権反対〟などは、ちょっと外れたテーマではないのか、ということなんでしょうか。

小熊　そういうふうに考えているわけではありません。

まず基本的に一連のムーヴメントは、格差の拡大を含む、社会全体の不安定化が背景になって起きていると思います。ただ、運動が起きる契機になるトピックが、原発であったり、安保や憲法であったりする。他国では金融不安であったり、貿易協定であったりするけれど、どこでもトピックそのものよりも、「決め方」に怒りが集中する。つまり「決め方が不透明だ」「俺たちを無視するな」といった声が出てくるわけです。「再稼働反対」も「安保反対」も、それそのものより、「決定過程から疎外された」ということが怒りを招く。逆に言うと、トピックはなんでもありうるわけです。

昨年夏の事態（注＝２０１５年夏の安保法制反対の運動が広がったときのこと）について言えば、たしかに今さら安保や憲法がトピックになるとは思っていなかった。しかし一方で、ＳＥＡＬＤｓのメンバーには、すでに奨学金の借金を何百万も背負っているとスピーチしているものがあった。いまは大学生の半分は奨学金を借りていますから、ＳＥＡＬＤｓのメンバーにもそういう人は珍しくない。これは「経済の問題」と表現するより、「先が見えない」「将来設計が立たない」という不安の象徴的表現です。にもかかわらず、政治家は自分たちの状況を無視している、私たちの声を聞く気がないらしい、決定過程も不透明だ、ということで異議申し立てが広がったのだと思います。

あとは、グローバル化した世界だと、エリートが国際間で物事を決めて、国内の民主主義は置き去りにされやすい。それが台湾では貿易協定、ギリシャでは債務問題、日本では安保法制を、それぞれ政権が不透明かつ強引なやり方で通すという動きをもたらした。それが国内で反発をくらったという意味では、安保法制反対も世界的な民主化運動と共通しています。ただ、これは事が起きた後から分析すればそう考えられるということであって、事前には予測がつきませんでした。

それと、格差・貧困・不平等といったテーマは、広範な運動のテーマにはなかなかならない。

菅間 どうしてそう思われるんですか。

小熊 貧困や格差というのは、現れ方が多様だからです。「格差問題」と言えば単一に見えるけれど、生活保護の問題と、シングルマザーの問題と、派遣労働者の問題と、孤立高齢者の問題はそれぞれ違うし、必要とされる対策も違う。そうなると、あの問題は自分には関係ない、という人が多くなる。だから、広範な運動にはなりにくい。

そして残念ですが、本当に貧困状態にある人たちは、運動には参加しない。そんな余裕がないからです。当事者のなかで、比較的に力や余裕のある人たちが参加することはあるでしょうが。これは日本だけに限ったことではありません。

菅間 それは、湯浅誠さんの言われる「溜め」の問題であったり、周囲の人との関わりやエンパワーメントがあって、「声を上げていいんだ」と思える環境や条件が重要なのだ、ということでしょうか。やはり自己や他者、それらを含む世界に対する基本的信頼がないと「声を上げること」「立ち上がること」は難しいと……。

小熊 それはその通りで、単なる知識の有無の問題ではない。社会や他者に対する信頼がないと、運動などには参加しないでしょう。

菅間 運動や社会参加ということを考えるうえで、リアルであり示唆的でもあります。〝本当の当事者はどこにいるのか〟〝当事者は運動にコミットするのか〟と。

小熊 誰が一番の「当事者」か、なんてことを考えても不毛だと思います。私は、日本語の「当事者」という言葉はあまり好きじゃありません。英語にどう訳せばいいかわからない言葉です。

あれはもともと、日本の知識人のコンプレックスの表現だったと思います。日本の社会運動が、発展途上国型の典型的な運動だったからでもあるでしょう。つまり、都市部の学生・知識人が、労働者や農民のために闘う、しかし自分は「当事者」ではない、というものですね。〝自分は困っていないけれど、誰か困っている人のために運動をやりたい〟というメンタリティから生まれた言葉でしょう。しかし、そんな時代はもう遠く過ぎました。90年代くらいまでは、日本はそれほど大きな問題がない、あるとすれば周辺部にあるんだ、という意識がどこかであったのでしょう。しかし、いまはもう、東京の学生が数百万の借金を背負い、大学教授が改革で予算を減らされている時代ですからね。問題は周辺に行かなくてもあるし、誰もが当事者ですよ。

●――小熊英二は変わった？

菅間　今、議論が運動、知識人、当事者というようなところに来ていますが、せっかくの機会ですので、関連して、この間、特に３・11前後の小熊さんご自身のことについてお伺いしてもいいですか。

それはひとことで言うと〝小熊英二は変わった〟説です。お二方の見立てを紹介します。一人めは雨宮処凛さん。〈マガジン９条〉での彼女の連載の３４３回目でこう書かれています。「３・11後の世界で『周りでもっとも変わった人は？』と聞かれたら、私には即答できる人がいる。それは小熊英二さん。（中略）どの辺が変わったかと言えば、完全に『活動家デビュー』したようにしか見えないところだ」と。

もう一人は上野千鶴子さんとの対談での北田暁大さん。こうおっしゃっています。「私自身が不思議でならないのは、内田樹さんにしても小熊英二さんにしても高橋源一郎さんにしても、３・11で『変わりすぎ』ということです。（中略）私はなぜ変わるかぜんぜんわからない」と（『『１９６８』と『『２０１５』のあいだ」『ａｔプラス』２０１５年11月号）。北田さんのはちょっと執拗かつ揶揄的な感じもしますが、それはともかく、ご自身はこの〝小熊英二は変わった〟説をどう思われますか。

小熊　人にどう映っているかは、私はあまり関心がありません。私自身は自分について、そんなに変わったと思っていません。かつてもいまも、運動や社会的問題について、分析したり観察したり参加したりしてきました。それがそんなに変わったとは思わないです。

人にどう映っているか知らないけれども、私は集会でのスピーチとかは、数回しかやったことがない。ただその数回が、動画になってネット上で見られるから、目立つのかもしれません。昨年夏の安保法制をめぐる反対運動のときも、勇ましいスピーチをしたり、「絶対反対」とか言ったこともありません。学者の役割ではないと思うし、下手をすれば無責任になるからです。ほかの学者の方には、かなり激しいスピーチをしたりした方もいたようですが。

それに私は、学生時代に反核・反原発の運動に関わっていたこともあります。たぶん私が「3・11で変わった」と思っている人は、私がそれ以前にはまったく社会運動に関わっていなくて、その後には勇ましく発言している、とか考えているんじゃないでしょうか。

菅間　ぼくは、国会前で、そういう学者の方々のスピーチを冷静に見ていたり、トコトコ歩いている小熊さんをよくお見かけしました。

小熊　もちろん私は何度も国会前に足を運びました。社会のいろんな側面が見えますからね。どういう人たちが来ているのか、どういうスピーチに拍手が多くなるのか、そういったことを観察していると、いろんなことがわかります。しかしスローガンめいたことを叫ぶ気にはならなかったし、学者がスピーチするなら学者としての専門知識を活かしたことを言ったほうがいいと思っていました。

それから私は、「安倍を倒せ！」とかも叫んだことはありません。問題は社会構造的なものであって、安倍さん個人の問題ではないと考えているからです。事態はもっと深刻です。一例を挙げれば、自民党の劣化が激しく進行している。１９９１年に５４７万人いた自民党員が80万人台にまで減少し、人材の供給源も細ってきている。大臣の顔ぶれは、ここ10年くらい、あまり代わり映えしない。基盤が弱体化しているから、連続当選ができないので、当選回数２回以下の議員が半分を占め、無責任な暴言を吐くような議員も増えた。かつては日本を支えた自民党ですが、今は人材が枯渇しているとしか思えません。安倍さんが辞めても、もっと悪くなる可能性もあるでしょう。

菅間　もちろん、安倍さんのキャラクターだけで政治を説明するのはあまりいいことではないし、危険ですね。支配構造を見誤ることにもなりかねない。

小熊　政権のやることは、ほとんどが政府としてやっていることです。安倍さん個人の意向が反映しているのは一部です。政権に問題があるとしても、安倍さん個人を代えればすべてが解決するわけではない。

菅間　一方、運動側から「野党は共闘」「立憲主義擁護」「安保法制撤回」という、巨大与党と、小選挙区制度を見すえた声、要求が上がってきています。小熊さんの最新の論稿「波が寄せれば岩は沈む」『現代思想』（２０１６年３月号）でも最後のところで、首都圏反原発連合やＳＥＡＬＤｓについてこう言われている。「原発産業と自民党は小さくなっていく岩である。

それに対し、彼らに代表される波は、強くなる傾向にある。組織を持たない運動には、必ず高潮と退潮が伴う。しかし（中略）21世紀型の運動は、今後もくり返し、トピックを変えて台頭するだろう」と。このインタビューが雑誌に載るときには、参院選の結果は出ているのですが、その新しい波、中野晃一さんの言い方では「掛け布団」という表現になりますが、「掛け布団」＋「敷布団」（従来からの組合運動など）に応える格好になっているこの間の一連の野党の動き、市民連合に押されての「野党共闘」という流れについて、小熊さんはどうご覧になっていますか。

小熊　結局それしかないでしょう、という感じですね。先ほどは自民党の劣化の話をしましたが、左派はもっと衰えているし、あらゆる組織・団体が衰えてきている。そうなると浮動票と棄権が増える。そのなかで、相対的に組織力がある自民党と公明党が低投票率で勝っているのが現状です。これに対抗するためには、野党が分散していてはどうにもならないから、共闘するという答えしか出ない。

ただ、ここ5年の運動の経緯を見ていると、どんどん進歩しているとは思います。最初は声も出せなかったのが、官邸前に10万単位で人が集まるようになった。それで選挙に勝てると思ったら、そうならなかったので、野党に共闘を働きかけるようになり、それが実現した。つまり大きく見れば、順当にみんなが学び、改善してきていると思います。

●研究アプローチの変化

菅間 新しい動きということで言うと、今、南欧のポルトガル・スペインなどで面白い「左派／市民派」の動きが台頭してきています。日本でも、たとえばスペインの「ポデモス」や、ギリシャの「シリザ」のような動きが出てくることはあり得るでしょうか。文脈的には、これらの新しい政党は「反緊縮財政」「反新自由主義」を前面に掲げていますが。

小熊 欧州のあの手の新興政党は、「緑の党」も含めて、比例代表制でないと国政にまで進出できません。小選挙区制では無理です。

菅間 たしかにそうですね。選挙制度問題は本当に大問題です。民意の反映という、民主主義の根幹にかかわる大問題。この議論はこの議論できちんとしていかないといけません。

これはもしかして、ぼくなりの〝小熊英二は変わった〟説になるのかもしれませんが、『アウトテイクス』の序文で小熊さんはこう書かれている。「特定人物の思想からアプローチするという方法は、今後はやらないと思う。その理由の一つは、近年の日本社会が当時より危機的な状況にあるため、より政治経済に比重を置いた分析をしなければならないと考えている」と。もう一つの理由は「近代日本で取り上げるべき面白い人はもういない」と。ということは、今後『〈民主〉と〈愛国〉』で採られたような、人物やその思想を通しての研究アプローチはもうやらない。それは、日本社会の危機の深刻さがそうさせているし、そういうことをやっている場合じゃない、こういう理解でいいんでしょうか。ぼくは、小熊さんの一連のああいうアプローチを、とても面白く読ませていただきましたから。井上ひさしさんは『〈民主〉と〈愛国〉』について、「この本はとてもお買い得だ、こんな値段で、こんなにたくさんの人たちのことについて学べるなんて」とどこかで書かれていました。

小熊　コストパフォーマンスが高い、という評価はありがたいし、実際にそうだと思います。とくに外国の研究者からは、そう言われます。

お尋ねの後者の点について言うと、私もかなりの数の知識人の全集を読んで、いろんなことを書いてきました。けれど、もう、この人の研究をやりたい、という人はいません。それに加えて、おっしゃるとおり、日本の状態がそれどころじゃない、ということでもあります。

個人的な話でいうと、2009年に『1968』という本を書いた後、体調を崩して1年寝ていました。体調が戻ってきた2010年の後半くらいから、まだ自分が本格的に論じていない人の全集などをひっくり返してみましたが、自分にとっては面白くなかった。そして2011年の1月に、朝日新聞の論壇委員をやらないかという依頼があった。それを引き受けたら、3・11があった。

私は物理学も勉強していましたから、原発事故がおよそどういう事態かはわかりました。これは下手をすると東京圏の避難もあり得る、そうしたら国として立ち行かなくなる。その時は、京都に5歳の娘と一時避難していましたが、私は具体的な人間なので、関西でどうやって仕事を探すか、それとも国外で探すか、といったことも考えました。幸いにして、そういう事態にはならずにすみましたが。

その後に、論壇委員としてあらゆる雑誌、それこそ保守系雑誌から経済雑誌まで読んで、『論壇日記2011・4〜2013・3』（新曜社）というタイトルにまとめられるメモを毎月書いていくことを自分に課しました。それで日本社会の現状が、政治や経済まで含めてだいたい見えた。それがわかると、これはもう知識人の全集なんか読んでいる事態じゃない、と思ったわけです。

菅間 10年前お話を伺った時に、小熊さんはこう言われました。「せめて10年は読まれる本をつくりたい。簡単に読み捨てられるようなものじゃなくて、10年は読み継がれるものを書きたい」と。それは、とても印象に残っています。

小熊さんは、ミュージシャンとしての顔もお持ちで、ライブなども行われている。先ほどの『アウトテイクス』という論文集のタイトルもロック・ミュージシャン風です。そこで、個人的なことの伺いついでに、ロック雑誌『ローリングストーン』や『ロッキングオン』風に、ちょっとベタですが、〝次の作品の構想などがあったら教えてください〟という質問をしてみたいんですが。

小熊 ありがたいことに、私が過去に書いた作品は、どれもそんなに古びてはいないと思います。ただ、読者は人間物語のほうを歓迎する、ということは言える。『〈民主〉と〈愛国〉』とか『単一民族神話の起源』とかは、有名な知識人の評伝のような部分が多いから、読みやすかったんでしょうね。

菅間　人を描く、ということで最近の作品としては『生きて帰ってきた男』も評判がいいですね。ぼくの周りでも、そういう声を聞きます。

小熊　あれも悪い本じゃないと思いますよ。ただし、「これをやるべきだ」ということと「これは人気が出るだろう」というのは別次元です。次に何を書くかは、その兼ね合いで決めるつもりです。現時点ではまだ白紙です。

●――現場の改善を通じて、自分自身の改善を

菅間　最後に、本誌の多くの読者は教員ですので、小熊さんからメッセージをお願いできますか。

小熊　一番言いたいのは、自分の現場の状況を改善することに意を砕いてほしい、ということです。現場の状況を変えるというのは、もちろん賃上げとかもあるけれど、会議が多いとか、部活指導や行事が多過ぎるとかも含まれます。そういう身近なところから、不合理なところは見直していって、授業研究に割ける時間をつくるべきだと思う。あるいは、教室のなかで、授業内容についてこられない子どもたちのことを、社会的背景まで理解して対応・指導できる余

裕をつくる。そのためには、おかしいことはおかしいと言う、声を上げる、ということが必要です。

日本の社会運動は、沖縄とか、安保とか、遠くのテーマをとりあげる傾向がありますよね。現場の状況を改善していって、グローバルな問題にもつながるというのは理想的だけれども、自分の身近な矛盾を放置しておいて、遠くの問題を論じるというのは一種の現実逃避です。教師なら、まず教育現場から始めるべきでしょう。だいたい、こんなに部活、部活って言っている国って他にないでしょう。

菅間 はい。ないと思います。

小熊 運動会の時に整列させて、行進させる国もないでしょう。

菅間 ないですね(笑)。

小熊 そういうことのために膨大なマンパワーを使っている。それで疲れて、もっと大切なことを放置していいのか?　と誰でも本当は思っているでしょう。現場の改善、それ即ち自分自身の改善ですよ。

菅間 それで言えば、先ほど小熊さんは、「本当の当事者」「一番苦しいところにいる人」は立ち上がれない、と言われましたが、まさに教師も多忙化地獄のなかで、本なんか読んでいる時間もない、官邸前や国会なんて行っている暇がない。夜10時まで学校にいる、なんて話を聞くのはザラです。

小熊　そうだと思います。だからこそ、少しでも余裕がある人からやるしかないでしょう。あとは、どうしたら改善するか、周囲と話してみることです。

菅間　そうですね。本当に苦しんでいる教師にも、そしてほんの少し余裕のある教師にも、本誌の言葉が届けばいいなと思います。今日は長時間、どうもありがとうございました。

［注］

（1）のちに『私たちはいまどこにいるのか――小熊英二時評集』（毎日新聞社、2011年）に収録。

高橋源一郎さんに聞く

教育とか文化って〝叔父さん〟なんです

――子育て、文学に「正解」はない(?)

たかはし・げんいちろう

1951年、広島県生まれ。作家。明治学院大学名誉教授。『さようなら、ギャングたち』〈群像新人長編小説優秀作〉（講談社文芸文庫）、『優雅で感傷的な日本野球』〈三島由紀夫賞〉（河出文庫）、『日本文学盛衰史』〈伊藤整文学賞〉（講談社文庫）、『さよならクリストファー・ロビン』〈谷崎潤一郎賞〉（新潮社）、『101年目の孤独――希望の場所を求めて』（岩波書店）、『一億三千万人のための「論語」教室』（河出新書）、『誰にも相談できません――みんなのなやみ　ぼくのこたえ』（毎日新聞出版）など著書多数。

2018年に行われた、自由の森学園・公開研究会で記念講演をお引き受けくださった高橋さん。その打ち合わせで明治学院大学にお邪魔したり、やりとりをさせてもらったりするなかで、インタビューを申し込み、ご多忙のなか、快諾をいただいた。お連れ合いもリベラルな学校ご出身で、お子さん二人もリベラルな私学で学ばれていて、その「自由教育」への造詣と思いの深さには舌を巻いた。また、この暗雲立ち込める、危なげな時代に対する高橋源一郎的「抵抗」にも深く考えさせられた。高橋さんは何度もくり返しこう言われた。「楽しく生きなよ」「生きることをやめちゃダメだよ」。

（2017年12月20日　インタビュー）

●──「きのくに子どもの村」に子どもを入れるまで

菅間　高橋さんは、80年代初頭に作家デビューされて以降、これまで数多くの著作を出される一方、大学で学生を教え、さまざまな文学作品の選考委員も務められ、さらに新聞、ラジオ、テレビなどでご活躍を続けられています。わけても、最長不倒記録と言われ、6年続いた「朝日新聞」の〈論壇時評〉は、のちに書籍化されたタイトル（『ぼくらの民主主義なんだぜ』『丘の上のバカ──ぼくらの民主主義なんだぜ2』）を含めてとても話題になりました。ぼくも毎回楽しみに読ませていただいて、映像、音楽、旧作など、いわゆる狭い「論壇」の枠を超えて、採取・批評の対象が本当に幅広く、まるで高橋さん責任編集ページのタブロイド版新聞を読んでいるかのようでした。

その連載のなかで、また近年の高橋さんの文章のなかでしばしば登場するのが「きのくに子どもの村学園（以下、「きのくに」）」で、現在、「きのくに」の南アルプス子どもの村小中学校に二人のお子さんを通わせておられます。高橋さんが「きのくに」を知るきっかけになったのが『世界』の連載「教育のチカラ」[1]だそうですが、「きのくに」をお知りになってから、そこにお子さんを「入れるべきか、入れざるべきか」相当悩まれたんですよね。なぜお子さんを入れようと思ったのか、同時に、なぜかなりの時間がかかったのか。このあたりから伺ってよろしいですか。

高橋　いくつかのことが重なっています。２０１２年に「きのくに」を知って実際に見せていただいたあと、同じような自由教育系の学校をいくつか調べてみました。そして、理念的にはなかなかいいなと思っていました。これが一つめ。次にぼくは、尊敬する鶴見俊輔さん経由で、プラグマティズムをとても大事な哲学だと考えていた。これが二つめ。あとは２００５年から大学で教える立場にいたこと。これが三つめ。

ちなみに、ぼく自身は大学に8年在籍して「満期除籍」なんです（笑）。授業もほとんど出ていないし、大学って何をするところかよく知らない。だから、教えるって言われてもなあ、という感じだったんですが、加藤典洋さんに頼まれたので、半ば仕方なく引き受けました。そもそも文学部で教えるのかと思ったら国際学部だったし。２０００年に『日本文学盛衰史』を書いたので、それまでも、京大の大学院とか千葉大とか、あっちこっちの大学で——たしか「文学史」みたいなものだったと思うんですけど——集中講義的なものはやっていたんですね。慶應では「舞姫２００１」を書け、なんてこともやっていました。で、案外楽しかった。そういうところに大学教授の依頼が来たので、気軽に「ま、できそうかな」って思ったんですね。

その、センセイになった前の年、２００４年に上の子どもが生まれて、下の子が生まれたのが２００６年。つまり「親になる」のとほぼ同時に「教育者になる」んですね。もちろん準備も何もないので手探りで始めました。でもこれがいいんです。だってぼくも卒論すら書いたことないのに、大学院生の修論の指導をするんですよ、メチャクチャだと思って。でも、センセイも一緒に学ぶことになるので、つまり結果として、ぼくはいいセンセイだったわけです（笑）。

それはともかく、諸般の事情で男の子二人の子育てに、ぼくも深く関わることになりました。なので、あらゆることがいっぺんに押し寄せてきて、パニック状態でした。教育、子育てどころじゃない、ひたすら「眠い！　寝たい！」という感じで教育理念もクソもない、という状態からスタートした。でもこれが本当によかったんですね。とりあえず、今何をするか。場当たり、その場しのぎ、ということの連続でしたね。さらに２００８年暮れに下の子が急性脳炎で瀕死の状態で、障害を持つかもしれないという事態に直面しました。教育、子育て、文学……それまで、個別バラバラだったものが、否が応でも自分のなかで一つのものになっていたんです。

菅間　そのあたりのことは、２０１４年に同僚の辻信一さんと出された『弱さの思想――たそがれを抱きしめる』の冒頭にも詳しく書かれていますよね。しんちゃんを12月31日に病院に連れていかれる描写から、お医者さんの診立てや言葉、高橋さんの狼狽と動揺、それと対照的なお連れ合いの腹のすわりかたなど。そして、この経験が「弱さの研究」の起点となり、いろんなことがつながってくる、と。

高橋　そうです。そして、３・11がありました。教育、子育て、文学に共通して言えるんですが、何かに向き合う時、これはこうあるべきだ、と決めてかかってはいけない。小説ってそうなんですよ、全部現場で考える。ま、設計してやる人もいるんでしょうけれど、ぼくは完璧に行き当たりばったりです。これがいいんじゃないかなって。マニュアルなんてない。計画、マニュアル、これに教育、子育て、文学をあてはめる、そんなことできっこないんですよ。

そう言えば、たしか明星学園（東京）へも下見に行ったりもしました。ただ明星って吉祥寺でしょ。あの頃はぼくたちは赤坂に住んでいたんで、ちょっと遠くて。通わせるとしたら引っ越さなきゃいけないので断念したんです。そして、先ほどおっしゃったように、２０１２年に雑誌で「きのくに」を知って、その頃ＮＨＫラジオのパーソナリティを始めるんですが、その「ゲンちゃんの現場」というコーナーの取材で和歌山に行くことになった。で、初めて園長の堀さんとお話をするんです。で、これはいいなあって。

菅間　その時点では、長男のれんちゃんが2年生、次男のしんちゃんが1年生。その後、「きのくに」に入れるまで約1年葛藤、逡巡されるわけですよね。自由な感じの高橋さんだから、スパッと、「いいんじゃない？　入っちゃいなよ！」とか言って決められたのかなと勝手に想像していたんですけど、違ったんですよね。

●──「善の中の悪」と「悪の中の善」

高橋 他のことは何でも即断即決なんですけどね、自分のことも含めて。これはずいぶん迷いました……。

すごくいい教育をしているとは思ったんですが、通常のルート、メインストリームからは外れるわけですよね。それは果たして彼らのためになるのかなって思ったんです。彼らもこの世界で生きていかなければいけないわけだから。ただ、どういう学校で学ぶかは、彼らに大きな影響を与える可能性がある。これは確かです。あと、ぼく自身は受験校出身だったんですよ。受験校には受験校なりのよさがあるわけです。「教育を信じない」というよさが(笑)。

菅間 リアルな反面教師として、すごくいい部分もあるよと(笑)。

高橋 まさにそうです。教育って理想なんかじゃないぞって、教育に変な幻想を持たなくなる。そこの子どもたちがナイーヴじゃないんです。ま、それがいいのか、悪いのか、は難しいですが。ぼくのクラスメイトはみんな教育に幻想なんて持っていませんでした。言ってみれば、この「善の中の悪」と「悪の中の善」のどっちを取るのか、いや、悩みました。

菅間 『一億三千万人のための小説教室』では、高橋さんは「教育とか学校って人間にとってきわめて有害なもの」と書いておられました。また、盟友・内田樹さんとの対談本『どんどん沈む日本をそれでも愛せますか』[2]では、2011年4月のれんちゃんの小学校の入学式の時のエピソードが語られています。日の丸が体育館の左隅に掲げられていて、壇上には何もなく、誰もいないのに深々と敬礼している校長先生の様子を見て、その入学式にとても違和感をお持ちになった、と。「こういうのはいけない」って。

高橋 そうでしたね。ウチの子どもたちも普通の小学校のクラスに入って、まあ一生懸命やっていたんです。やればやれたんですが、なかなかついていくのが大変です。授業参観があるでしょ、ぼくも行くんですよ。先生はやりにくかったと思います。だって、ぼくは校長より年上ですからねぇ(笑)。そのぼくがジーッと見ている。で、見ていると、今の小学校はすごいシステマチックに、どんどんどんどん課題が流れていくんです。まさに「カリキュラムをこなす」っていうのが第一義なんですよ。子どもがわかってもわからなくてもね。まるで流れてきた目の前の餌をついばむ、養鶏場のニワトリみたい。何か学校に来る度に心が冷える、そういう感覚はありました。

菅間 そういう「何かおかしい」とか、現在支配的な学校のあり方について、高橋さんはかなり批判的だったのかなと思っていたので、1年もの間迷って、考えるってすごいなあと思っていたのですが。ちなみに、お連れ合いは、お子さんたちの「きのくに」入学にあたって、どんなお考えだったんですか?

高橋 「あなたの好きにしたら」とか「どっちでもいいよ」って言うんですよ。で、最終的に「楽しければいいや」と。というわけで、「きのくに」を選んだんです。いい教育が人にいい影響を与えるかっていうのはホント微妙なんです。さっきの「善の悪」と「悪の善」の話ですね。むしろぼくは、それが人間の素晴らしいところだと思います。どんなオカシな教育をしても、育つ子は育つ。どんないい教育をしてもダメなこともある（笑）。そうでしょ？

じつのところ、教育は子どもにあんまり影響なんて与えられないんじゃないかとも思うんです。とはいえもちろん、悪い教育をすればいいっていうことじゃない。悪い教育でタフに育つヤツもいるし、本当に心が折れちゃう子どももいる。だから、「どっちかと言えば、いい教育がいい」、これがぼくの考え方ですよ。これ、プラグマティズムでしょ。プラグマティズムは絶対こっちが正しいというものがないという考え方です。「どちらかと言えばこっち」です。

菅間 教育も、あんまり「思い」が過ぎると「重い」ですもんね。「教育、この素晴らしきもの！」みたいになっちゃうと。

高橋 そうなんですよ。「これこそが素晴らしい教育だ！ 管理教育なんて一切ダメ！」なんてなっちゃうのも危ないと思うんですよ。だって、そんなふうに言い切ったら管理教育をやらされている学校や先生方は全部ダメってことになっちゃう。決してそんなことはないでしょう。「いい」「悪い」はすべてグラデーションのはずでしょう。ぼくの大好きな小説、カルヴィーノの『まっぷたつの子爵』のなかに「『完全な善』と『完全な悪』が一番悪質」って書いてあります。本当、その通りだなって思います。あれはなかなかいい小説ですよ。

あと知人に森巣博さんっていう人がいるんですね、最近は会ってないんですけど。その奥さんが、世界的に有名な政治学者、テッサ・モーリス・スズキ。その子どもが数学の天才なんですね。この森巣さんの教育方針は本当に自由なんですよ。すごいんです。

菅間　森巣さんは、たしかカジノ専門のギャンブラーでしたよね。森巣さんとテッサ・モーリスさんって夫婦だったんですか。初めて知りました。

高橋　そう。これは話すと面白くて長くなってしまうので、すごく端折って言うと、二人は英国で結婚して、その時テッサさんはまだ大学院生だったので、森巣さんが6年間主夫をして子育てしたんだけど、世界で一番子育てしやすい国はどこかって探して、オーストラリアだってことになって移住する。だけど、子どもは勉強しないし、学校へ行きたくないっていう。なので、パソコンを与えて、子どもはそれで勉強する。そして15歳から、大学の講義に出るんです。すると、大学のほうから、「君、大学に入りなさい」ってなる。だけど、「飛び級」の法律がない。だったら法律を変えちゃおうって。オーストラリアは法律を変えるんですよ！　たった一人の子どものために。すごいでしょ！　ただ単に彼が天才だったという話じゃなくて、とにかく自由にさせたんですね。このあたりのことは『無境界家族』っていう本に書いてあります。メチャクチャ面白い。本当、教育に正解ってないんだなあと思います。

●「正解はあるかもしれないし、ないかもしれない」

高橋　「正解なし」ということでさらに言えば、ぼく、人生相談（「毎日新聞」）もやってるでしょう。あれもなかなか難しいんですよ。そうそう、人生相談に答えるうえでの最大の問題は何だと思います？

菅間　うーん、何だろう。最大の、ですよね。「相談者に共感しつつ、おもねらずに言いたいことを言うこと」とか？

高橋　じつは、字数なんですよ。ぼくのコーナーは大体600字なんですね。いったい600字で何が書けるというのか、と。600字って一つのことしか書けないんです。ある問いや相談に答えが一つ。そんなことあり得ないでしょ。だから、必ずその「回答」は間違っているんです。本当は、三つ答えを言って、しかも四つめもあるよって言わなきゃいけない。もしかすると、四つめも間違っているかもしれない。そこまで全部言わないといけないんですね。そうなってくると最低でも2000字くらいは必要なんですよ。ということは原理的に言えば、600字の人生相談なんてやっちゃいけないってことになるんです（笑）。だから、ここでプラグマティズムです。一つだけの答えなんて間違っているんだけど、この間違いはまあ許せるんじゃないって思う……その程度です、と考える。「間違っている」という前提、これが大事です。

菅間　それは教師と学校にも言えますね。今やっている教育、今やっている授業、これは間違っているかもしれない、という自問・自省とスタンスを持つ、これくらいがちょうどいいのかもしれないですよね。

高橋　そうそう、そうしないと「おれがやっていることは正しい」みたいな感じになっちゃうでしょ。ウチの大学ってね、リベラルって思われてるでしょ。でね、ぼくの周りの教員とかにも「おれは正しい」と思い込んでいる人がいるんですよ。ぼく自身も左翼とかリベラルとかって思われているけど、そういう人と肌が合わない（笑）。

ウチのゼミに一人、ものすごくコンサヴァティヴ（保守的）な考えの女子学生がいるんですよ。「自衛隊は必要、軍備は重要、憲法改正をすべき」ってね。で、ぼくの周りの教員と論争になるわけ。彼女もガーッと言うんだけど、授業で教員たちが「君の考え方は間違っている！」とか論破しようとするんですね。でも、ぼくは逆に言うんですよ。「いいね！　君。なかなか君みたいな子はいないよ」って。そして、ぼくはその子をゼミにスカウトしたんです。「ウチのゼミにおいで」って。その子に聞いたら「本当に学校を辞めようと思ってた」って言うんですよね。もちろん、ぼくは彼女の言っていることにおかしいなと思うところはあるんだけど、それはそれで彼女の意見なわけで、絶対それは尊重しないといけない。で、ぼくはぼくの意見を言えばいいだけですよ。ちなみにウチのゼミはね、「論破禁止」なんです。

菅間　高橋源一郎ゼミの憲法は「論破禁止」！（笑）

高橋　そうなんです。「論破するなんて、人としてどうよ！」って感じですね。相手の意見を否定する必要なんかないでしょ、別の考えを言えばいいんだから。だって「正しい小説」なんてないし。面白い小説、いい小説、感動的な小説はあるけど、「正しい小説」はこの世に一つもありません。正しいものはないというのがぼくらの業界の「憲法」ですから（笑）。鶴見俊輔さんも言っているけど、教育の最大の問題は「教師が正解を知っていて、それを子どもに教える」っていうことです。教師だって正解を知らないはず。というか「正解」なんてないんですよ。

菅間　正確に言うと、「正解はないんじゃないの？」もしくは「正解はあるかもしれないし、ないかもしれない」ですよね。「正解はない」と言い切ってしまうと、「正解はないという絶対正解」が跋扈（ばっこ）することになるので。

高橋　そうですね。「正解はない」というと矛盾しちゃいますね（笑）。つまり、生きるのに便利なほうを選べばいいんじゃないかと思うんですよね。

だから、さっきの学校をめぐる、あれかこれかの話に戻ると、これは難しいかもしれないけど、「管理主義・受験校 vs 自由学校」という二項対立の図式にしないで、両方の学校がお互い交流して、それぞれがそれぞれから学びあったら面白いと思うんですけどね。

菅間　交流の点で言えば、それはぼくもずっとそう思っています。過去、何度か超管理主義とか、超受験校との生徒交流を企画しようとしたことがあるんですけど、実現には至らなかった。そう簡単じゃないんですよね、こちらはいつでもウェルカムなんですけど。いわゆる「エリート大学」と言われる大学からは、いつも学生さんが見学者として来るんですけどね。ただ、それと生徒間交流は違いますもんね。もし、読者や読者の知り合いの方のなかに、「ウチならやっていいよ」というところがあったら、ぼくの勤務校まで連絡をいただきたいです。ただ、リベラル系の私学とはいろいろ交流もしていて、「きのくに」について言えば、ぼくはまだ行ったことはないんですが、同僚が和歌山や南アルプスを訪ねているし、つい先日も、きのくに高等専修学校の生徒たちが泊まりがけで自由の森に来て、交流・意見交換会をやっていました。「きのくに」と自由の森、似ているところもあるけど、違いも多い。ぼくも「きのくに」の教員とお話しさせてもらいましたし、双方それなりの切実な課題があって、生徒同士「そこ？」ってお互いに言い合って、聞き合っていましたね。いい経験になったと思います。

高橋　いいですね、そういうのは。

●「きのくに」を舞台にした『ぼくたちはこの国をこんなふうに愛することに決めた』

菅間　さて、その「きのくに」を舞台にした、高橋さんの新しい本が先週発売になりました。ぼくも早速買って、一気に読ませていただきました。とっても面白かったです。タイトルが

『ぼくたちはこの国をこんなふうに愛することに決めた』。すみません、作者を目の前にして言うのもなんですが、『恋する原発』は、ぼくの読解力が足りないせいか、なかなか読み進められず、難儀でしたので。

高橋　いやいや、それでいいんです（笑）。あれはなかなか読み進められないと思うので。

菅間　本の発売日、新聞広告に、高橋さんの大きな顔写真とともに本の宣伝が出ていました。そのキャッチフレーズによると大きな文字で「21世紀版　君たちはどう生きるか」とあり、「子どもたちの『独立国家』は本当に実現するのか。架空の小学校を舞台に憲法9条、象徴天皇制、竹島問題……。現代日本のシビアな命題に挑む」とあります。

でも、高橋ファンをはじめ、読む人が読めば、あるいは「きのくに」を知っている人が読めば、「ああ、これって〝きのくに〟じゃん！」と思うはずです。「子どもたちは『プロジェクト』に入る」「ぼくたちは、何でもつくる。子どもたちで相談して。それが、ぼくたちの学校のやり方だ」という記述、本があちこちに置いてある描写、そして登場人物のハラさんは堀さんだし、ランちゃんはれんちゃんですしね。この、プロジェクト学習で「くにをつくる」というところから物語は立ち上がっていきます。ぼくは後半の「@アイと雪の女王」あたりから最後まで加速度的に面白くなっていく感じがしました。高橋さんは、これまでも素晴らしく、素敵な「きのくに」の「広告塔」の役割を果たされていて、さらにまた一つそれが結実した感じです。

ちょうど、ぼくはこれを読む直前にミリオンセラーになっている『漫画版　君たちはどう生きるか』を岩波文庫の原作以来、本当に何十年ぶりに読んだんです。改めていい本だなと思いましたが、『ぼくたちはこの国をこんなふうに愛することに決めた』のなかにあった「あたりまえのことは気をつけたほうがいい」という文章と、『君たちはどう生きるか』のなかにあった「ひとつのわかりきったことをどこまでもどこまでも追いかけてゆくと、ものごとの大事な『根っこ』の部分にぶつかることがあるんだ」という文章は、時を超えて響き合う感じがしました。

高橋　ぼくも『君たちはどう生きるか』は大好きで、ああいうものを書きたいってずっと思っていました。考えてみると、あの時代、１９３７年によくあそこまで書いたと思います。結構ギリギリのところまで攻めてるでしょ。よく発禁にならなかったなあと思います。ぼくはあれを小説だって思っているんですが、倫理の本だという人もいます。だから今回は、集英社新書という新書で出しました。「え？　これは何なの。小説？　社会評論？」って読者に迷ってほしいなと思って。ぼくは、小説っていうものはもっと自由でいいと思っているので。

高橋源一郎的「抵抗」

菅間　この『ぼくたちはこの国をこんなふうに愛することに決めた』では、子どもたち、先生たちがとても生き生きと躍動的に描かれています。でも、ご承知のように、現実には学校教育現場はどんどん息苦しくなっている。この高橋さんのインタビューに続く本誌『人間と教育』今号の特集は、「今、学校が危ない」ということで、教師の過重労働やブラック部活、行政の圧力などを巡っての論文や報告が載ります。大学問題で言えば、先ほどもお名前を挙げた内田樹さんは、本誌80号で極めてクリアカットに大学問題を論じておられます。タイトルは「大学の株式会社化」。学校が会社になっているよ、と。主に大学についてですが、教育現場にどんどんビジネスマインドが浸透していることの愚をこれでもか、と喝破されました。こういう時代における「教育者」の抵抗をどう考えたらいいのでしょうか。たしか高橋さんも大学のシラバス問題で、「抵抗」したとおっしゃっていましたよね。

高橋　そう、ぼくは「シラバス書けない」って言ったんです。だって、決まってなんかいないんだから、授業で何をやるかなんて。でも「書け!」って言われるんです。だから「書くことないのに書くなんておかしくない? 大学って真理を伝えるところでしょ!」って文句をつけた。そしたら「文科省の言う通りにしてくれ」と。「文科省の言いなりなの?」って言ったら「先生は作家をやっているからシラバス書かなくてもいいかもしれないけど、ウチの大学の評価点が下がって、他の先生に迷惑がかかって大変なことになる。お願いだから書いてください」って。もはや理屈じゃないんですよね。だから「しょうがない、書くか」って感じでした。

菅間　そのシラバス「圧」は、年々強まってきた感じですか。大学の教員をしている知人、友人たちから、よくシラバスのことは聞きます。

高橋　強まってきましたね。で、聞いたんですよ、「シラバスって何が決まっているの」って。そうしたら「字数と形式」だと。「それさえ守ればいいの？」って聞いたら「そうです」と。なので、シラバスの形式を使って自由に小説を書いてみたんですよ（笑）。そうしたら、だんだん楽しくなってきた。

あと授業評価ですね。最初はぼくも面白がってやっていたけど、何年かやって、意味がないと思ってやめました。実は学生の評判はすごくよかったんですが（笑）。最近は全部ゴミ箱に捨てています、ビリビリ破いて（笑）。無視しているから、今ではもう何も言われなくなりました。必要がないと思ったらやらなくてもいいんですよ。たしかに内田さんのおっしゃるように、大学は「株式会社化」しています。学生も消費者マインド化している。それは間違いないです。

菅間　その内田さんとの対談のなかでも高橋さんは、「大学の教授会に予備校の人が来て、時代はグローバル化です、それに対応しないと生き残っていけないんですよって演説をぶっていて、ぼくらが怒られる、と。そして、あろうことかそれを真面目にノートを取っている教員がいて、バカじゃないの！」とおっしゃっていましたね。

高橋　そうなんですよね。いやになっちゃいますよね。かつてぼくたちは大学を「象牙の塔」

と批判したんだけど、それでは「象牙の塔」のほうがまだマシだったんじゃないかと思うようになりました。たしかにビジネスマインド化は進んでいます。進んでいるんだけど、でも、そのなかでどう「楽しくやるか」だと思うんですよね。ぼくは、「その現場でやれることをやればいい」主義なんです。時には敵の武器を使ってでも、です。これからもっともっと「創意工夫」が問われていくと思うんですね。もちろん「こんなところでやってられるかよ」と辞めたい気持ちはよくわかります。だって、こんなこと言っているぼくも、大学はあと1年なんですけど、辞められてよかったなあって思っていますから。

菅間 『ぼくたちはこの国をこんなふうに愛することに決めた』と同じ集英社新書で、高橋さんが「小説の誕生」(『明治維新150年を考える』)を書かれていて、そのなかに、1943年の抵抗として谷崎潤一郎の『細雪』、太宰治の『右大臣実朝』があって、そして、いつかこの二人の抵抗について書きたいとありました。

文学に関連づけて、戦前の教育現場について扱った小説で言えば、例えば『二十四の瞳』がありますよね。たしか大石先生が尊敬する同僚が、生活綴り方実践をしていたということで警察に連れて行かれる、という叙述がありましたし、最終的に彼女自身も職場を去ることになる。また、『次郎物語』の朝倉先生も時局批判講演をしたことで辞職勧告をされ、東京に去ることになる。安易に「戦前のようになってきた」と言うつもりはありませんが、「上からの過度な管理・統制」そして「自主規制」という状況は確実に広まり、ひどくなってきたと思います。

高橋　厳しいことは厳しいんだけれど、そのなかでより「考えて」書くようになるんですよね。だから作家だって頭の使いようだと思うんです。『細雪』も『右大臣実朝』もよく読めばものすごくきちんと時局に抵抗しているんだけど、抵抗していないようにも読める。太宰なんて『右大臣実朝』だけじゃなくて、『佳日』とか戦争中に書いた小説って、時局に迎合しているようにも見えるんです。反抗しているのか、迎合しているのか、戦時体制を褒めているのか、けなしているのか、もはやわからないんですね、高度過ぎて。それを太宰は楽しんでいたんじゃないかなって思うんです。読み手のリテラシーをすごく要求されるから。もちろん、最終的にこれは「ダメ」というふうになっていくことはあります。『細雪』も発禁になるし。だからきっと、ものすごく「読める」検閲官がいたんですよ。『中央公論』で発禁になって、その後、谷崎は私家版を出すんです。で、これも発禁になった。しかし本当に、検閲官がよく読めたなあと思います。パッと読んでも天皇制批判に見えないんだから。それを発見するってすごい批評家だねっていう話です。『右大臣実朝』も、あの「実朝」は天皇ですよね。それが軍的なもの、侍にやられていくっていう話でしょ。だから軍国主義批判ですよ。だけど、『右大臣実朝』のほうは、検閲官はよくわからなかったのかも（笑）。もちろん、ストレートなものは生まれなくなるでしょう。それは悲しいことではあるんですけれども。

当然、筆を折った人もいる。そして書いた人もいる。ぼくは断然「書く派」です。「その時の現場でできることをやる」「その場でできることは何かをギリギリ考える」。それがぼくはとても大切なことだと思うんです。おれの現場、あるいは私の人生はひどくなった、ゆえに「撤退する」と。でもそれって「死ぬ」ってことでしょ。それは辞めたほうがいいと思うんですよ。だって、なんとかしていくってことが「生きる」っていうことなんだから。この時代を「正しく」批判する、この時代から「撤退する」「逃亡する」、いろいろあると思うんです。で、ぼくはね、できたら「楽しく立ち向かう」のがいいと思います。あんまり悲壮な顔はよくないよ、と。

●──お父さんはメインストリーム、叔父さんはオルタナティブ

菅間　この『ぼくたちはこの国をこんなふうに愛することに決めた』もそうだと。表紙が日の丸ですもんね。これも、もちろん高橋さんのアイディアで。

高橋　そう、そもそもこれがやりたかったんです！　これだけは書く前から決めていたんですよ、本の帯は日の丸って。で、その日の丸に落書きしてみるというのがモチーフです（笑）。面白いでしょ？

菅間　たしかに。落書きっていうか、寄せ書きっていうか。これも「21世紀版　君たちはどう生きるか」をめざした、高橋さんなりの気概の一つっていう感じですか？

高橋　というか、できるだけ、面白くやりたいんですよね。

吉野源三郎さんの作品、あれは叔父さんとコペルくんの話でしょ。叔父さんって言っても若いんだけど。それにお父さんの役割もしているって言えばしているし。で、コペルくんといろんな対話をするんだけど、そもそも叔父さんという存在がいいんですよ。これはマジメな話、文化人類学的概念で言ってもそうなんです。叔父さんって、共同体のはぐれものでしょ。お父さんは家を継ぐ存在だから。叔父さんという位置と存在がいいんですよ。

菅間　そういえば、寅さんは叔父さんですよね。満男にとっては。

高橋　そうそう！　だから寅さんは文化人類学的観点で言っても、得難い存在なわけですよ。長男は家を継ぎ、生産に従事して、社会に役立つことをする。そして真面目なことを言う。「ザ・勤勉」です。一方、次男、つまり叔父さんは家を継がないんで、どっか行ったりフラフラしている。そして、外部から変な、悪い知識を持って帰ってきて、それを満男に教える。そうすると共同体から「余計なことすんな！」って言われる。言いながらみんなは叔父さんのことを「自由でいいなあ」って心の中では思ったりもしている。まあ、吉野さんの本では結構「正しいこと」を言っているんだけど（笑）、叔父さんが教えるのはたいてい「悪いこと」ばっかり、つまりトリックスターなんですよね。

菅間　正統と異端の浸透であったりとか、悪の魅力とか、先ほどの「善の悪」「悪の善」とつながりますね！

高橋　ええ、そうなんですよ。つまるところ、文化ってそういうものですからね。文化って本来、不真面目なものなんだから。文化勲章なんかもらえない（笑）。だから、叔父さんの役割って、甥っ子に道を踏み外させようとすることなんですよ。言い方を変えると、それはオルタナティブな生き方の提示ですね。

菅間　映画評論家の吉村英夫さんは、「男はつらいよ」って一言で言うと「定住と放浪の相互憧憬」って言っていて、なるほどと思ったんですね（『山田洋次と寅さんの世界』大月書店）。だけど、そうなると、既存の学校は「お父さん」で、「きのくに」や自由の森は「叔父さん」っていうことになるんですかね。たしかにオルタナティブでありたいと思っているし、自由な校風だけど、放浪の学校って言われるのも何かちょっと（笑）。とりたてて風来坊をつくる、っていう学校じゃないつもりなんですけどね。ただ、カウンターの自負はありますが。

高橋　いや、叔父さん＝オルタナティブはホントに、大事な存在なんですよ。メインストリームだけだと、共同体は滅びます。みんな同じことをするわけだから、何か異変が起こったら同時にダメになる。共同体や社会が生き残るためには、叔父さん的な存在が必要なんです。文化って叔父さんなんですよ。真面目な人に悪魔のささやきをするんです。「何マジメにやってんの！　サボれ、サボれ！」ってね。教育にこういう部分も必要でしょ。「働きなさい」「役に立ちなさい」ってお父さんは言うけど、じゃあ、「働けない」「役に立たない」人って、社会にいちゃいけないの？　そんなことないでしょ。だから「叔父さん」「寅さん」の存在が重要なんです。じつは叔父さん=トリックスターって弱者の代表なんですよ。だから寅さんって「障害者」であり「認知症」でもあるんです。

菅間　もっともっといろんなことを伺いたい気持ちは山々なんですが、最後の質問に移らせてください。本誌の主たる読者は教員なので、高橋さんからメッセージをお願いしていいですか。

高橋　まず、これは言いたいっていうことが一つあります。それは「教師って世の中で一番大切な仕事」だっていうことです。

菅間　一番ですか！

高橋　一番ですよ！　これからの社会や世界を背負っていく子ども、人間にずっと向き合っているわけですからね。そして、子どもたちを大切にしてあげてくださいっていうことです。そして、そのためには自分自身を大切にしてくださいっていうことも、声を大にして言いたいですね。さっきの森巣さんが言っているんです、「親が楽しく生きないと意味ないだろ！」って。「子どものために生きる」なんておかしいよ、と。それは親も教師も同じです。

菅間　むのたけじさんは「子どもを幸せにしたいなら、まず親が幸せになりなさい。だって不幸な親からは不幸な子どもしか育たないのだから」とおっしゃっていましたが、同じことですね。

高橋　まったく同じです。まず「ぜひ教員自身の幸せを追求してください」と言いたいです。

生徒は二の次でいいから。あ、これはまずいか（笑）。でも、あんまり歯を食いしばって、という感じでやられてもね。センセイ、楽しそうだなって思われないとね。いいな、センセイ、うらやましいな、なんでそんなに楽しそうなのって言われないと。そういうセンセイにだったら習いたいなって思うでしょ。この時代、教師はどうやったら自分が楽しく生きるかっていうことを真剣に考えたほうがいいです。「君たちはどう生きるか」じゃなくて「自分はどう生きるか」、これが先。それができていない人に教えられたくないですからね。

菅間　重苦しい顔で生徒のため、子どものためって言われても、それもどうなのって感じですもんね。いや、今日は本当に楽しく、ずっと笑ってお話しできて、幸せでした。

長時間、本当にありがとうございました。

［注］

（1）のちに『教育の豊かさ学校のチカラ――分かち合いの教室へ』（岩波書店）として発行。

（2）のちに『ぼくたち日本の味方です』（文春文庫）。

エピローグ

今から10年近く前のことだったと思う。当時の『人間と教育』(民主教育研究所〈民研〉編集、旬報社発行)編集長・神山正弘さんを送る会の飲み会の席でのことだった。民研所員で編集委員の田中祐児さん(当時)から「菅間さん、今度『人間と教育』の巻頭インタビューをやってみる気はない? 2年間くらいのスパンでどう?」と満面の笑みで言われた。それまでも他の教育雑誌でインタビューはしていたし、そもそもインタビュー自体嫌いではない。どちらかというと好きなほうである。よって、〝なるべく仕事は断らない〟をモットーにしている私はわりと気軽に「いいですよ」と引き受けた。

＊

じつは、私は『人間と教育』と浅からぬ縁がある。まず、雑誌立ち上げの時の担当編集者が、当時、(労働)旬報社に勤めていた連れ合いであった。「今度、民研から総合教育雑誌が出る。どうやら私が担当になるらしい」と彼女が興奮気味に話してきたこと――これは今からおよそ30年前の話である――をかすかに覚えている。というわけで私は本誌第1号からの読者であり、創刊以降全号が我が家の書棚に揃っていた(コロナ禍中の書棚整理で、現在はだいぶ整理されたが)。

さらにその後、ゼロ年代に入った頃、大学時代の恩師で、当時の編集長（現・民研代表）の梅原利夫氏から「ぜひ、編集委員会に加わってほしい」と声をかけられ、民研のいずれの部会にも属していない私が、一編集委員として編集会議に加わることになった。以降、梅原、小島喜孝、佐貫浩、神山、木村浩則、池谷壽夫、木村（再任）各氏の歴代編集長の下で雑誌編集の作業を続けることとなり、現在に至っている。

木村編集長時代に、表紙（毎号素敵なイラストを描いてくれる中村みずきさんに深謝！）とタイトルロゴを一新、リニューアルに伴って、巻頭インタビューが復活し、その任を私が務めることになったのである。

先ほども書いたように、私はインタビューが好きである。インタビューとは、私なりの表現をするならば要するに「独占質問会」である。「問うこと」とは「問われること」であり、その重圧がないと言えば嘘になるが、とにかくインタビュイーに2時間近く、私一人が質問できるのである。こんなに贅沢なことはない。講演などに出かけた際、私は講演者によく質問する。聞きたいこと、確かめたいことが次々と湧き出てくるからだ。しかし、講演後の質問は、たいてい一つ、しかもそれをめぐってのやりとりはほぼ不可能である。それに比べ、インタビューは応答の連続、言葉のラリーができる。時に、内角高めのストライクゾーンギリギリの球を投げることもある。著書などでしか出会ったことのない方とじっくり話ができる経験は、何物にも代えがたい「財産」である。もちろん、読者のためをも心がけてはいるが、聞き手の私自身が面白がらなくて、読者が面白く感じてくれるわけがない。もっとも、他のインタビューに比べ、私のそれは、私の語り／問いかけの部分がめっぽう多い。それがよいのか悪いのか——そもそもインタビューと対話の違いも含めて——自分自身ではよくわからないのだが。

*

本書のタイトルに込めた思いと、インタビューの舞台裏めいたことも少し書いておきたい。「失われた○○年」とか「一強政治」とか言われて久しく、「人間らしく生きたい」人たちにとって、長いこと社会的・政治的「向かい風（アゲインスト）」状態が続いている。しかし、そのなかでも陽気に口笛を吹きながら歩みを止めない方たちがいる。『人間と教育』

2017年8月17日、議員会館にて行われた「島袋文子さんを迎え沖縄に連帯する市民のつどい」会場にて（左から、三上智恵さん、菅間、松元ヒロさん）。

巻頭インタビューでの人選は、全面的に私に任されているが、私のインタビュイーの基準は、向かい風が吹いていても、ひるむことなくカウンター、あるいはオルタナティブの生き方をされている方々である。嘆き、悲しむことは誰にでも、いくらでもある。生きることとは、荒い鼻息と深いため息を交互にくり返していくことだとも思う。しかし「ため息」を「深呼吸」に変え、顔を上げ、一歩前に進む――インタビューをお願いした方たちは皆、そういう人たちである。本書のタイトルに私が『向かい風が吹いていても』と名づけたのは、そういう理由からである。お願いした方たちのインタビューを終えたあと、またそれをまとめる作業をしながら、腹の底から「生きるちから」が湧いてくる。そのことが何より楽しい。

とはいえ、インタビューをまとめる作業は存外大変だ。人選、アポ取り、本番の収録（写真撮影やお手伝いなどで、所員の栗又衛さんにお世話になっている）、テープ起こし、タイトル・小見出し付けを含めたまとめ、これをほぼ私一人で行っている。楽しいけれど苦しい、苦しいけれど楽しい、という感じか。

冒頭書いた通り、私のインタビューの最初の約束は2年だった。２０１２年に始まった私の巻頭インタビューは、現在8年目に突入している。

この場を借りて、お願いとも訴えともつかぬことをさせていただきたい。もし、よろしければ『人間と教育』の定期購読をご検討いただけたら幸いである。どの教育雑誌もそうだろうが、本誌も例外ではなく「絶滅危惧種」である。いつまで、今のかたちで出し続けられるのか心もとなない。雑誌は、読者の支えと応援があって初めて刊行継続が可能となる。雑誌がなくなれば、巻頭インタビューもなくなってしまう。

最後になるが、『人間と教育』の編集委員の方々にはいろいろお世話になっている。お礼を言いたいと思う。また、出版事情の超厳しきおり、本書の刊行を決断くださった子どもの未来社社長・奥川隆さんにもお礼を言いたい。また、具体的な編集作業を進めてくださった、信頼を置く編集者・鈴木庸さんにも感謝である。

最後の最後に、すべてのゲラに目を通してもらって、素敵な「プロローグ」を寄せてくださった松元ヒロさんにも、心からの感謝を申し上げたい。ありがとうございました。

そして、本書を手にとってくださったあなたが、どなたかのインタビューの、どこかの部分からでも「向かい風だけれど、自分の人生はまんざらではない。これからも自分の人生を生きていこう」と思ってくださったのなら、これほどうれしいことはない。

２０２０年６月

菅間正道

菅間正道（すがま・まさみち）

1967年生まれ。自由の森学園高校・教頭。教育科学研究会所属、雑誌『人間と教育』（旬報社）編集委員。著書に、『はじめて学ぶ憲法教室』全4巻（新日本出版社、2014年～2015年）。共著に『新しい高校教育をつくる』（新日本出版社、2014年）、『投票せよ、されど政治活動はするな!?』（社会批評社、2016年）、『18歳選挙時代の主権者教育を創る――憲法を自分の力に』（新日本出版社、2016年）、『答えは本の中に隠れている』（岩波ジュニア新書、2019年）ほか、多数。

装丁・本文デザイン　藤本孝明（如月舎）
編集担当　鈴木　庸

向かい風が吹いていても
カウンターを生きる10人の声

2020年7月15日　第1刷印刷
2020年7月15日　第1刷発行

編　者　菅間正道
発行者　奥川　隆
発行所　子どもの未来社
〒113-0033 東京都文京区本郷3-26-1-4F
TEL 03-3830-0027　FAX 03-3830-0028
E-mail：co-mirai@f8.dion.ne.jp
http://comirai.shop12.makeshop.jp/
振　替　00150-1-553485
印刷・製本　モリモト印刷株式会社

ISBN978-4-86412-173-6　C0037　NDC370